EL JAGUAR CURIOSO

Hernán Navas Rivas

Illustrated by George Armstrong

NATIONAL TEXTBOOK COMPANY • Skokie, Illinois 60076

5387

Introduction

The Journeys to Adventure Series stimulates interest in Spanish language and culture through adventure, humor, and mystery. Different cultures in the Spanish-speaking world—Mexico, Central America, Costa Rica, and Spain —provide the backdrops for each book.

Our setting for *El Jaguar curioso* is Guatemala and El Salvador. This part of the world is shown not as one big stereotyped coffee or banana plantation, but as a varied culture where some native inhabitants cling to their old traditions, some seek to improve their situation by social reform, and others even plot revolution.

El Jaguar curioso takes place in this atmosphere, with Luis, María-Luisa, and their relentless Jaguar ever on the prowl. Then there is Señor Alcatraz who has big plans for taking over Guatemala. And finally, there are Jesús and Santos, two unlikely revolutionaries.

This story has romance, action, and laughter. It is written in the lively language of a native writer and edited for use in second and third year classrooms.

Other journeys you may wish to take include: *Un verano misterioso* (Guadalajara, Mexico), *El enredo* (Barcelona, Spain), *La herencia* (Central America), and *El Ojo de Agua* (San José, Costa Rica). And now, on to adventure!

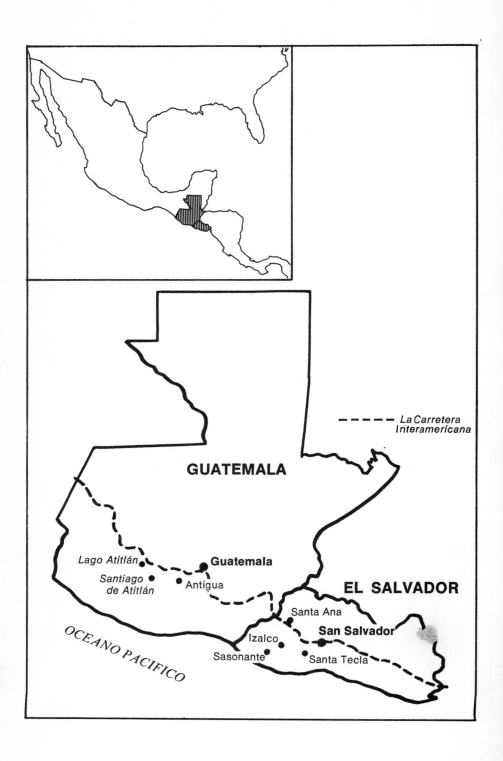

I. El encuentro

La chica baja de la escalera del Boeing 707. Se
detiene en el último peldaño.° En una mano tiene
el maletín con equipo fotográfico. Se lleva la otra a
la frente en forma de visera° para protegerse del sol
tropical de mediodía. Su pelo negro brilla con el sol.
Un par de ojos igualmente negros tratan de ajustarse
a la luz, desde una cara bonita. Difícil es imaginarse
a una muchacha independiente, dinámica y talentosa
con un cuerpo tan delicado y femenino.

    Una ola de humanidad pasa barriéndola. Medio
oye, como al fondo° de un túnel algo sobre derechos
humanos . . . ¡no es justo! . . . ¡chis, falta de con-
sideración! . . . ¡Caramba! . . . Con permiso . . . Tiene
la mente a kilómetros de distancia. Los oídos no se
ajustan al ruido en español. Los ojos buscan en
vano entre el grupo que agita° pañuelos y hace
señas con las manos. Voltea° a ver a ambos lados. Ya
los demás pasajeros han bajado hacia la sección de
Aduana. Camina en la misma dirección. Y ya con las
maletas en la mano busca un teléfono público. Marca
el 53-38. No contestan. Camina hacia el lobby con
las pesadas° maletas. Un joven se le acerca. Viste
elegantemente . . . y es guapo. De casi la misma edad
de la chica, tiene una sonrisa pícara y le habla con

peldaño   single step
of a flight of stairs

visera   visor

fondo   bottom

agita   moves, waves
voltea   turns

pesadas   heavy

1

una voz baja, firme y segura, como quien conoce bien el terreno que pisa.° **pisa** steps

—¿Le ayudo, señorita?

—No, gracias. No pesan mucho las maletas— dice la chica.

—¿Espera a alguien?

—Sí. Ya vienen por mí— contesta y mira impacientemente hacia la puerta de entrada.

—¿Viene de vacaciones?— persiste.

—En cierto modo. Quiero tomar fotos de Guatemala y el resto de Centro América para una revista escolar.

—Si le gusta, la llevo en mi carro.

—No. Gracias . . .

—Bueno, adiós. Soy Luis Largaespera.

—Mucho gusto de conocerlo. Mi nombre es María-Luisa Pineda.

Pasan unos diez minutos y un coche azul se detiene a la entrada principal del aeropuerto. Baja una pareja entrada en años. María-Luisa sale corriendo a encontrarlos.

—¡Hola, Luisita!— dicen los señores abrazándola.

—Perdona el atraso.° No podíamos pasar porque **el atraso** delay había un accidente en la carretera. ¿Son ésas todas tus maletas?

—Sí. Eso es todo.

—A ver, cuéntame de todos en casa . . . . ¡Chica, cómo has crecido!— continúa doña Ana sin parar. —Tienes que quedarte una semana con nosotros porque . . .

—No puedo, doña Anita— interrumpe la chica.

—Sólo me puedo quedar tres días en Guatemala.

—¿Y qué es la prisa?— pregunta don Pedro.

—Tengo que regresar a Nueva Orleans cuando comiencen las clases en la universidad, ya que es mi primer año . . .

—¡En fin! Lo que tú digas— interrumpe don Pedro.

—En tan corto tiempo sólo podrás ir a un lugar, a Santiago de Atitlán . . .

2

—¡Qué ideal para tomar fotos!— dice doña Ana.

—Lo mejor es que mañana es Viernes Santo. Los indios tienen ceremonias religiosas muy pintorescas.

—¡Qué coincidencia! Estoy emocionadísima de este viaje . . .

—Pero demasiado corto— interrumpe doña Ana . . .

—He planeado alquilar° un coche para el viaje.   **alquilar** to rent, hire

—Yo me encargo de° eso— contesta don Pedro.   **me encargo de** I'll take care of

—¿Cuánto cuesta el alquiler?

—Barato. Un Taunus se alquila por 5 quetzales al día, 6 con seguro° completo y cinco centavos por kilómetro.   **seguro** insurance

—Mmm. Más barato que en los Estados Unidos.

—Tendrás que acostarte temprano. Debes estar cansada para el viaje— avisa doña Ana.

El coche acaba de entrar a una calle ancha y limpia. Había una isla en el centro con árboles y estatuas.

—¡Miren! Como las calles de Nueva Orleans, con hierba en el centro.

—Sí— contesta don Pedro. —Pero en las de Nueva Orleans no hay estatuas. Esta es la calle principal de Guatemala. Más adelante hay una réplica de la Torre Eiffel. La veremos esta noche cuando salgamos a pasear.

El automóvil dobla° a la derecha. Se detiene frente a una casa grande y bonita con verjas° en las ventanas.   **dobla** turns   **verjas** window gratings

—¡Por fin en casa!— dice doña Ana.

—A las siete de la noche vamos a cenar al Restaurante Las Vegas— anuncia don Pedro. —Después vamos al cine. Hay una película muy bonita de Cantinflas, "Un Quijote Sin Mancha."

—¡Qué alegría! Siempre quería ir a ver a Cantinflas.

—¿Cuánto es que cuesta la entrada?

—Dos quetzales— contesta don Pedro.

A la mañana siguiente María-Luisa está despierta desde las seis. No puede dormir pensando en el viaje

a Santiago de Atitlán. Don Pedro y doña Ana ya
están levantados leyendo el periódico.

—Después de que te desayunes vamos a traer el
carro— le dice.

—No. Mejor salir directamente. Ya he preparado
mis maletas para salir directamente de la agencia de
alquiler.

Ya en el Taunus María-Luisa se despide de los
Linares. Don Pedro ya le dijo como llegar a Santiago.
Su hermano la estará esperando con la pieza del
hotel ya reservada.

María-Luisa toma la carretera hacia Antigua. Recuerda haber leído en un libro de historia que ésa era
la antigua capital de Guatemala y por eso se llama
así. Al subir la montaña el aire está más fresco y
el clima, frío. A la entrada de los pueblos pequeños
en el camino la chica comienza a comprender lo que
le ha dicho don Pedro. "Hay que mirar a los lados
de la carretera más que a la carretera misma." Al lado
están casi todos los animales del Arca de Noé: caba-
llos, burros, puercos, gallinas y perros. Cuando pasa
un automóvil se asustan y saltan° a la carretera. El **saltan** jump
terreno° es muy quebrado. Hay montañas por todas **el terreno** land
partes y enormes precipicios.

María-Luisa se acerca a una casita de madera
con un letrero° que dice: FONDA LA BUENA **letrero** sign
VIDA; y en letras mal escritas y más pequeñas:
PRECIOS BAJOS a pesar de los ALTOS IMPUES-
TOS. El nombre le llamó la atención y se detuvo a
comer allí. No fue sino hasta más tarde que se dio
cuenta de que lo contrario era más cierto. "Es mejor
llamarle FONDA LA MALA MUERTE," pensó. Sin
embargo ha comido todos los frijoles, arroz y carne
por no ofender a la dueña que ha sido buena y
amable. Lo único que no comía era la ensalada.
Le ha dicho don Pedro que se podría enfermar
del estómago si no estuviera acostumbrada a ella. Le
toma una foto a la dueña que posa orgullosamente
junto al letrero y se despide de ella.

4

Como le dijo don Pedro, a las dos horas de viaje se ha terminado la buena carretera pavimentada. Sólo queda un camino polvoso° y estrecho. Si pasa un camión muy grande hay que tirarse° al lado de la carretera o esperar que el otro lo haga. En subidas° la costumbre es de detenerse y dar paso al que viene bajando.

polvoso dusty

tirarse to turn

en subidas on going up

Al caer la tarde, se ve el pueblecito de Santiago de Atitlán allá abajo al fondo de una montaña. Al lado apenas se puede ver el Lago Atitlán cubierto de neblina.° La gente está alborotada.° Mañana hay un día de fiesta muy grande.

neblina mist, drizzle
alborotada excited

Gabriel, el hermano de don Pedro, la recibe alegremente. Es dueño del hotel para turistas y uno de los pocos ladinos* que viven con los indios. Al llegar al hotel le sirven a la chica una comida típicamente india. Maíz, maíz y más maíz. En la forma de tamales con queso, tortillas y chicha (chicha es una bebida favorita de la ocasión de la temporada de Semana Santa. Se hace con maíz fermentado y puede llegar a ser° tan fuerte como el alcohol). Los frijoles nunca faltan, mañana y tarde.

llegar a ser to become

—Este es un día muy especial para los indios— le explica don Gabriel a la chica mientras están cenando.

—Parece que son muy religiosos, ¿verdad?— pregunta ella.

—A su manera. Son muy trabajadores, también. No creas que la vida de ellos es "half-day siesta, half-day fiesta and every other day revolución"— dice en un inglés irreconocible.

—Dicen que la revolución es el deporte nacional en Guatemala.

—¡Tonterías!— responde don Gabriel.

—Bueno, pronto me voy a la cama. Estoy cansadísima y me siento un poco enferma. Quiero estar

*Ladino. En Guatemala se le llama así al descendiente de indio y español.

5

en buenas condiciones para ir a tomar fotos de la fiesta de Semana Santa.

La mañana es típicamente nublada° y fría en Santiago. El sol desde muy de mañana está brillando. La chica ya está caminando por las callecitas del pueblo después de haberse desayunado con huevos fritos, tortilla y queso, y café negro. Toma fotos de los chicos. Ellos posan con timidez y después de la foto extienden la mano diciendo la única palabra que saben en inglés, "money," "money." Las mujeres caminan de prisa. Son más tímidas que los chicos. Algunas se sueltan en risitas° y esconden la cara cuando uno les habla. Muchas llevan a la espalda un bulto° del que sale un par de piernitas y una cabecita morena. Es un niño de menos de un año. Duerme en una manta a modo de hamaca° que es atada° a los hombros de la madre. Hay otras mujeres sentadas en los bancos del parque dando de comer a sus hijos.

En este momento pasa un indio grandote° y fuerte. Lleva una cruz igualmente grande hacia la iglesia. Lo sigue un grupo de indios armados de libros en una mano y de una botella en la otra. María-Luisa está fascinada y pregunta a don Gabriel que se acerca:

—¿Qué es esa botella que llevan los indios en la mano?

—Es un "cántaro" de chicha. Un cántaro es una botella que los indios hacen de barro rojo.

En ese instante sale de la casa junto a la iglesia una persona con una sotana° café. Lleva una barba larga y blanca y usa sandalias.

—Ese es el padre nuevo— dice don Gabriel. —Vino recientemente de España y vive en la capital. Vamos a saludarlo.

—¡Buenos días, padre!

—¡Hola! ¿Qué tal? ¿Vienen a la misa?

—¡Claro que sí! No me la quiero perder°— dice la chica, como si se tratara de una función de teatro.

Glosas marginales:
nublada — cloudy
se sueltan en risitas — burst out laughing
bulto — bundle
hamaca — hammock
atada — tied
grandote — big
sotana — cassock
no me quiero perder — I don't want to be late

—¿Mucho trabajo, padre?— pregunta Gabriel.

—Sí. Bastante. Sobre todo cuando uno trata de meterle religión a gente semi-pagana que no respeta ni la iglesia. No la tolero yo esa bebedera° de alcohol en la iglesia. Me tendrán que crucificar primero.

    °**bebedera** drinking

—¿Qué hay de malo con eso?— interrumpe la chica irritada.

—El alcohol ha destruido más vidas en Guatemala que los movimientos guerrilleros y las revoluciones . . . . Bueno, con permiso. Tengo que irme.

En ese momento un automóvil se acerca al pueblo. Todo el mundo se ha enterado° de ello. Se asoman° cabezas por las ventanas. Una nube de polvo marca el camino del automóvil. Se detiene frente a la iglesia.

    °**enterado** has been informed
    °**se asoman** look out

—Es el hijo del doctor de los indios— dice don Gabriel, como anticipando la pregunta de la chica.

—Se llama Luis. Buen chico, pero "pata de perro."°

    °**"pata de perro"** vagabond

  —¡Ahhh! ¡Ya sé quien es!— dice la chica emocionada.

  —¡Hola, don Gabriel!— saluda el chico, alcanzando° las gradas de un salto de atleta.

    °**alcanzando** overtaking, going up

  —¡Hola, hijo!

—A esta cara la he visto antes— dice Luis, mirando a la chica.

—Sí— dice ella. —En el aeropuerto. ¿Te acuerdas?

—¡Aaaah, sí! Ya me acuerdo. Bueno, sólo venía a saludarlos porque tengo que ir a traer a mi padre. Tiene que estar en la clínica antes que comience la misa.

  —¿La misa es a las diez, verdad?— pregunta María-Luisa.

—Sí. Hora guatemalteca— contesta Luis.

—No entiendo— dice ella.

—Significa que comienza dos horas más tarde de lo anunciado . . .

—Noté que nadie lleva reloj— observa María-Luisa.

—¿Vienes conmigo en mi Jaguar?— pregunta a María-Luisa. Y después, como por no dejar, —¿y Ud., don Gabriel?

—No. Tengo que ir al hotel. Hay dos huéspedes° que quieren pagar la cuenta.

huéspedes guests, boarders

La chica se sube al Jaguar que arranca° dejando una nube de polvo.

arranca pulls out

—Mi padre trabajaba de cardiólogo en la capital. Ganaba bastante dinero, pero padecía° del corazón. Una mañana empacó° todas sus maletas. En vez de irse al trabajo se fue a Santiago de Atitlán a vivir con los indios. Desde entonces no ha regresado a la capital y vive en gran austeridad. Siempre le ha encantado Santiago porque es un pueblo pacífico. No hay policías ni cárcel ni armas. Mi padre me dio parte de la herencia que me corresponde y con ella he comprado este coche deportivo.

padecía suffered

empacó packed

Junto a la carretera estaba el padre de Luis. Tenía un maletín en la mano. Se vestía de sandalias y ropa tejida° por los indios. Se vestía igual que ellos.

tejida woven

—¿Por qué tardaste tanto?— le reclama. —Mis pacientes ya están impacientes— bromea.

—¿Cómo te gusta este lugar?— pregunta el doctor a la chica.

—No sería malo si no fuera por gente como ésa— contesta señalando a Luis y cerrando el ojo en son de° broma.

en son de like, as

—Nada de eso— contesta Luis. —Soy buena gente.

—Bueno pero loco— bromea el doctor.

—¡Miren! Sale humo° del pueblo.

humo smoke

—Parece que ocurre algo raro— dice el doctor.

Cuando el automóvil entra al pueblo se ve un grupo de indios que caminan con una cruz. La van levantando y la llevan hacia el automóvil en llamas.° Voltean la cruz y se ve un hombre atado a la cruz .

en llamas in flames

—¡AAAY! ¡Auxiliooooo!— grita el hombre desesperadamente.

—¡Es el padre!— dice el doctor.

—¡Dios mío!— grita la chica, llevándose las manos a la cabeza. —¡Han quemado mi automóvil!

El auto de Luis se detiene frente al grupo que

8

hace bulla,° empuja° y maldice. El doctor se baja
tambaleante.° Los indios empiezan a bajar la cruz
con el padre atado a ella. Las llamas casi lamen°
su sotana. Los gritos son más fuertes.

—¡Aaaaay! ¡Socorrooooo! ¡Piedad!

—¡Les ordeno que bajen a ese hombre de la cruz
inmediatamente!— grita el doctor enfurecido . . . y
cae desmayado° a los pies del jefe indio. Los indios
bajan al padre y comienzan a desatarlo.° El jefe
indio toma al doctor en sus brazos y lo lleva a la
clínica. Después de tomarle el pulso, grita.

—¡Ha muerto el doctor! Todo por culpa del padre
del diablo. Nos ha traído mala suerte. Está poseído
. . . Primero nos quiebra° el cántaro de chicha, nos
tira el ídolo y ahora nos ha traído la ira del cielo.
Algunos de nuestros indios han visto cosas raras en
el pueblo desde que vino el padre . . . gente sube y
baja de las montañas con sacos al hombro . . . camiones nunca vistos antes . . . y ahora se muere el
doctor, nuestro querido doctor . . . ¡Agarren° al
padre!— grita al final.

—¡Agárrenloooo!

La gente comienza a seguir al padre que corre
desesperado con las sandalias en la mano y la sotana
subida hasta los hombros. Luis pone el auto en
marcha. Ordena a la chica que suba y arranca hacia
donde el padre. Al llegar junto a él, le grita.

—¡Arriba, padre, rápido!

El automóvil empieza el viaje hacia la capital
con un padre bien asustado a bordo. El último día
de la estadía de María-Luisa en Guatemala ha tenido
un triste final. Quiere evitar° problemas. Por lo
tanto decide tomar un vuelo temprano. Además,
comienza a sentirse deprimida.° Quiere comenzar
de nuevo en otra parte. Quiere dejar los problemas
atrás y no preocuparse tanto. Los Linares tratan de
alegrarla un poco.

—Quiero que me hagas un favor— le dice don

bulla   noise
empuja   pushes
tambaleante   stagger-
   ing, tottering
lamen   touch slightly

desmayado   fainted
desatar   to untie

quiebra   breaks

agarren   seize, grab

evitar   to avoid

deprimida   depressed

10

Pedro a la chica. —Quiero que esta noche salgas a entretenerte.

—Hay varias discotecas donde puedes ir con el hijo de Ramón, un amigo nuestro— dice doña Ana. —El *Old Tequila* es un lugar bonito . . .

—Está bien. Voy a vestirme para salir en una hora.

—Nosotros llamaremos a Pepe que te va a acompañar.

La pareja de jóvenes se fue a entretener a la discoteca el *Old Tequila*. Regresaron algo temprano. María-Luisa quería descansar para levantarse temprano a tomar el avión.

A la mañana siguiente don Pedro y doña Ana le llevaron a la chica al aeropuerto Aurora. Los pasajeros comenzaban a abordar el avión de La Taca cuando llegaron. La chica se despide de los señores cuando entra Luis corriendo.

—No puedo dejarte ir sin decirte adiós— le dice, corto de aliento.

—Me acordaré de ti— le dice, con una cara triste.

—No te olvides de escribir.— Le da un beso. La chica sonríe y corre hacia las escaleras. Agita un pañuelito blanco y desaparece en la oscura portezuela° del avión.

portezuela   little door

1. ¿Quién quiere ayudar a la chica con sus maletas?
2. ¿Por qué vino a Guatemala María-Luisa?
3. ¿Cómo cambia la carretera después de unas horas de viaje?
4. Según el padre, ¿qué ha destruido la vida de los guatemaltecos?
5. ¿Quién llega a Santiago de Atitlán?
6. ¿Por qué vino el doctor a Santiago de Atitlán?

7. Describa la escena cuando entran al pueblo los dos jóvenes.
8. ¿A quién han atado a la cruz los indios? ¿Por qué?
9. ¿Cómo escapa el padre de los indios?
10. ¿Cómo reacciona María-Luisa a los sucesos en Santiago de Atitlán?

II. El secuestro

A su llegada a San Salvador, la capital de El Salvador, María-Luisa camina hacia el banco del aeropuerto para cambiar algunos quetzales sobrantes por colones. No ha llegado a la ventanilla del banco cuando un par de taxistas se le acercan.

—¿Taxi, señorita?— preguntan ambos a la vez.

—Bien, pero un momento.— Uno de ellos se acerca y le toma las maletas. Terminada la transacción ambos caminan entre nubes de humo de cigarrillo y la mucha gente que llena cada rincón° del aero- **rincón** corner
puerto. Llegan al taxi.

—¿Adónde?— le pregunta el taxista mientras sube las maletas.

—A la Pensión Clark, en la 7a. Avenida Oriente.

—Una buena pensión. Allí viven muchos jóvenes del Cuerpo de Paz y estudiantes universitarios— comenta el taxista.

—¿Ha subido el precio de hospedaje?

—No. Sigue siendo 17.50 colones por día, con tres comidas.

—¿Cuánto es en dólares?

—Siete dólares americanos.

Las casas están más agrupadas° que en Guatemala **agrupadas**· crowded
y hay más ruido en las calles. María-Luisa recuerda together

que San Salvador es la ciudad más densamente poblada de todo Centro América — y la más pequeña. En la carretera del aeropuerto, hacia los lados, hay oficinas y edificios modernos. Muchos de ellos son factorías. Es difícil saberlo porque no tienen las típicas nubes de humo que hay en muchas factorías de los Estados Unidos. Y al entrar a la ciudad dice el taxista:

—¡A ver, eeeh! La Casa "Clarr" está en el centro de San Salvador, si mal no recuerdo. Enfrente queda la Iglesia de San Francisco.— Y añade: –Hoy hay una gran misa de Sábado de Gloria en la iglesia, si quiere ir a misa.

—No . . . Sólo si tienen aire acondicionado en la iglesia.

—¡Eso no! Hace tanto calor que la pila° de agua bendita tiene arena° en vez de agua. **pila** font / **arena** sand

María-Luisa sonríe forzosamente. La distancia es corta entre el aeropuerto y la ciudad. El taxi se detiene frente a una casa grande de dos pisos. Tiene un letrero enfrente: CASA CLARK. La chica entra por una enorme puerta de madera. Sube las escaleras con las maletas. Allí enfrente está la sala de recepción. Una señora gorda y elegante la atiende amistosamente. Le indica la pieza número dos, pero no le da llaves.

—¿Y la llave?— pregunta la chica.

—No necesitas llave, hija. Todos mis huéspedes son de confianza.° **de confianza** trusted

En ese momento uno de los huéspedes sale de su pieza con una maleta en la mano. Se despide de la dueña del hotel.

—Adiós, mamá— le dice dándole un beso.

—Adiós, hijo. Te esperaré el verano próximo.

La chica nota que los huéspedes son amigables también. Casi todos llaman mamá a la dueña° del hotel. **dueña** owner

—Perdona— dice la señora a la chica. —Cuando quieras salir te recomiendo que visites los mercados. Hoy es el último día que están abiertos.

14

—Sí. Voy a ir allá por la tarde.

Esa misma tarde María-Luisa va al Mercado Central. Lleva la cámara fotográfica y constantemente toma fotos. Ve llegar un camión. Se acerca a un almacén° del mercado y tiene en la puerta un letrero que dice: COMPAÑIA LIBBY'S DE GUATEMALA. Se acerca para ver qué traen de Guatemala a El Salvador. Dos hombres salen de la cabina. Son gordos y morenos, uno más gordo que el otro. La chica queda sorprendida al verles la cara. Esas caras las había visto antes. —¿En dónde he visto esas caras?— piensa.—¿En dónde las he visto?. . . ¡Ah! Ya recuerdo. En Santiago de Atitlán. Esos dos hombres estaban hospedados en el hotel de don Gabriel.— Les sigue los pasos para ver qué hacen. *almacén shop*

—Tengo una hambre de elefante— dice Santos.

—Y no tenemos dinero para comprar nada. Tenemos que ir a ver al jefe para que nos pague.

Los dos hombres ven a lo lejos a dos señoras gordas que se abrazan° en forma de saludo. Son vendedoras del mercado, naturalmente. De lo contrario no llevarían ese enorme sombrero en la cabeza para protegerse del sol, ni llevarían delantal.° Una de ellas está sentada en una caja° de madera. A los lados hay varios canastos° con naranjas y bananas. La otra señora está de pie. Va hacia su puesto de ventas° del mercado. Se despiden. *se abrazan embrace* *delantal apron* *caja box* *canastos baskets* *puesto de ventas stand*

—¡Buena suerte con la venta!— le dice María a Juanita.

—Con este enorme calor tengo que tener buena suerte. Al menos que se me sequen las naranjas.

—Adiós, pues, Juanita.

—Adiós, María.

Los dos hombres han visto la escena. La chica los está observando desde un lugar oculto. El más gordo comienza a conspirar como de costumbre. Le dice algo al oído a Santos. Su compañero le contesta en voz alta. —¡Siempre buscando problemas! ¿Eh?— Se retiran° un poco y regresan al poco tiempo. *se retiran go back*

—Juanita es mi amiga. Ya lo verás— dice Jesús.

—¡Y hasta el nombre le sabes!— contesta Santos.

—¡Estee! Doña Juana— dice Jesús con naturalidad. —María su amiga . . . la que habló con usted esta mañana . . . necesita seis naranjas y dos bananas.

—¡Ah, cómo no! Aquí están. Le doy las bananas más grandes que tengo. Las amistades° primero, ¿no es cierto?

amistades friendships

—Claro, claro. Bueno, gracias.

Los dos bandidos regresan al camión. Se sientan en la cabina. Comienzan a comer naranja y banana y oyen música a todo volumen.

María-Luisa se aburre° de espiar. Decide regresar al hotel, pero antes de hacerlo va al camión donde están los dos hombres comiendo.

se aburre tires

—¡Hey, muchachos!— les grita. —¡Una foto!

Voltean a ver con timidez. Jesús pone su naranja en el asiento y saca un peine° del bolsillo.°

peine comb
bolsillo pocket

—Un momento, un momento . . . quiero salir guapo— dice Jesús.

El otro se agacha° diciendo: —Soy demasiado guapo para sentarme junto a Sancho Panza— dice, señalando a Jesús que sonríe de oreja a oreja cuando oye el chasquido° de la cámara.

se agacha squats

el chasquido click

—Gracias— dice la chica.

En camino a la pensión la chica se detiene en un parquecito donde hay una exposición de pinturas y fotografías. Mientras ve las obras de arte, un señor de unos cincuenta años se le acerca.

—¿Es usted fotógrafa?— le pregunta a la chica.

—Sí. ¿Por qué?

—Yo soy Luis Alcatraz, el promotor de arte y cultura en este país. Compro fotografías artísticas.

—¿Ah, sí? Yo tengo bastantes fotografías.

—¿Me las enseña?

—Por supuesto.

—Mejor vamos a mi casa. Estaríamos más confortables. Sólo queda a la cuadra.° ¿Cómo es que se llama?

a la cuadra down the block

—Me llamo María-Luisa Pineda.

La casa del Sr. Alcatraz es de un solo piso. Hay verjas en las ventanas y es de construcción moderna. Adentro tiene una buena colección de objetos de arte indígena. La chica se queda viendo los diferentes esculturas y utensilios . . . don Luis le dice que se siente. Después que el señor ha comprado unas fotos, y antes de despedirse, la chica le dice:

—Allí vi un ídolo indio idéntico al de los indios de Santiago de Atitlán en Guatemala. ¿Es . . .?

—¡Hmmm!— hace una pausa para limpiarse la garganta,° y dice, —es una réplica de ese ídolo de Guatemala. ¿Cuándo estuviste en Guatemala?

limpiarse la garganta clear his throat

—En los últimos dos días.

—¡Ahhh!

—Es curioso, pero hace poco acabo de ver a dos hombres en el mercado idénticos a dos que vi en Santiago de Atitlán. ¡Esto es mucha coincidencia!

—Mira, me tardo. ¿En qué hotel te hospedas?

—En la Pensión Clark.

—Ven, te llevo en mi auto.

—No, gracias. Mejor me voy caminando.

De regreso en la pensión la chica decide ponerse a revelar las fotos° que acaba de tomar en el mercado, antes de ir a cenar. Más tarde se prepara para ir al cine Palace. Hay una película muy bonita de los Beatles.

revelar las fotos to develop the photos

Después de la película la joven camina a la pensión. Son las 11:00 p.m., y no tiene ánimos° de irse a la cama. De todas maneras tiene cartas que escribir. Comienza escribiéndole a Luis:

no tiene ánimos doesn't feel like

Recordado Luis:

He pensado mucho en ti. Mañana he planeado ir al balneario° "Los Chorros," aunque tengo un poco de miedo. No sé por qué. Quizás por los últimos incidentes que me han ocurrido. Mi vida ha sido un cuento de hadas° desde que dejé los Estados Unidos. Cada día me pasa algo misterioso. Me parece que estoy viviendo una película de James Bond. Imagínate: esta tarde voy al mer-

balneario resort

de hadas fates

cado y veo a los dos hombres que se hospedaron en el hotel de don Gabriel en Santiago . . ., un tal Luis Alcatraz me compra unas fotografías y descubro en su casa un ídolo idéntico al de los indios. . . . No entiendo nada de esto. Yo creo que ni Batman lo entendería.

Cariñosamente, María-Luisa.

El Domingo de Ramos amanece° con un sol brillante. Es ideal para salir de paseo. El centro de la ciudad descansa en un silencio de cementerio. María-Luisa sale desde temprano hacia "Los Chorros." Se va a la parada de autobuses. Espera unos minutos cuando se acerca . . . no el bus sino un viejo Oldsmobile negro. Se detiene frente a ella. Alguien abre la puerta y la tira° del brazo. Dentro del auto un hombre con sombrero de "gangster" y anteojos negros le apunta° con una pistola igualmente negra.

—¡Sube sin resistirte ni gritar, que te puede costar caro!— le dice el bandido de la pistola.

La chica trata de escaparse y forcejea° con el bandido. Comprende que de nada le sirve gritar. Todo esfuerzo es inútil. Trata de calmarse, pero el corazón le golpea el pecho como tambor.° Las manos le tiemblan° contra su voluntad. Su cuerpo cae pesadamente en el asiento trasero° del Oldsmobile. Una cinta° adhesiva le cierra los labios fuertemente. Algo frío y metálico le agarra° las muñecas y le mantiene los brazos firmes detrás del cuerpo. Toda esperanza se va con igual rapidez a medida que el auto se va alejando de la ciudad. . . .

—Ji-ji-ji— sonríe el chofer enseñando unos dientes amarillos por el tabaco.

—No nos gusta maltratar a niñas bellas como tú, pero órdenes son órdenes. El Sr. Alcatraz dice que sabes demasiado. . .

—¡Bueno, hombre! ¿Qué tienes para taparle° los ojos? — grita el chofer del auto.

—Nada, que se me olvidó traer pañuelo. ¿No tienes uno tú por allí?

amanece dawns

tira pulls

apunta points

forcejea struggles

tambor drum
tiemblan shakes
trasero back
cinta tape
agarra grasps

taparle to cover up, hide

18

—Bien sabes que yo no uso pañuelo. Ponle tu sombrero.

Con el sombrero negro Santos le cubre la cabeza y los ojos a la chica. Ya el auto ha salido de la ciudad. Dos horas más tarde se encuentra en la cumbre° de un volcán. Los dos bandidos, con la chica en medio, caminan hacia el cráter apagado° del volcán, el "Boquerón"; el otro cráter del lado se llama "Boqueroncito." El "Boquerón;" es profundo con paredes quebradas. Hay un camino estrecho en la pared interior del volcán. Los tres caminan despacio. Se resbalan° y escapan de caerse, pero siguen bajando. No se puede ver el fondo. Se va poniendo más y más oscuro. Santos saca de un maletín una lámpara de carburo.° La enciende° con un fósforo. Caminan y caminan hasta que por fin tocan fondo. Hay una luz allá al fondo. Caminan hacia ella. Es un túnel pequeño. Los lleva a un valle con pocas casas y bastante luz. Jesús le quita la cinta adhesiva, las esposas° y el sombrero a María-Luisa. Y después le entrega° una carta.

—Toma para que te entretengas. Le pagamos al cartero para que nos entregue tus cartas.

La chica comienza a leer la carta. Es difícil leerla con las manos temblando.

Querida María-Luisa:
Ya me encargué de la triste tarea de enterrar° a mi padre. Todo el pueblo fue al entierro. Fue algo conmovedor.

La policía del pueblo vecino vino a investigar el disturbio de Semana Santa. La cosa se pone cada vez más confusa. Una cosa está clara. El padre no es responsable por todo — ni los indios. Un ídolo y el catecismo colonial han desaparecido de la iglesia. Se ha descubierto que alguien ha puesto una droga en la chicha. Parece que la droga puso a los indios momentáneamente locos. Entonces prendieron fuego° al automóvil y amarraron al padre en la cruz. No se sabe todavía qué droga es.

la cumbre top

apagado extinguished

se resbalan slip

carburo carbide
enciende lights

las esposas handcuffs
entrega delivers

enterrar to bury

prendieron fuego set fire

Algunos indios dicen que han visto a gente extraña
subir y bajar del cerro. Han visto a gente dis-
frazada° de indio caminando por el pueblo. La   **disfrazada** disguised
policía dice que los indios están halucinando por
la droga, y que ven cosas que no existen. Pero
entonces, ¿para qué endrogaron a los indios?
¿Quién lo hizo? Una cortina de misterio rodea°   **rodea** surrounds
todo esto. *Y yo voy a investigar el misterio.*
Cuídate. Tu amigo, Luis.

1. ¿Dónde llega María-Luisa?
2. ¿Qué recomienda la dueña del hotel a
   María-Luisa?
3. ¿Por qué se sorprende María-Luisa al ver a los
   dos hombres en el camión?
4. ¿Por qué va María-Luisa a la casa del señor
   Alcatraz?
5. ¿Qué ve María-Luisa en la casa?
6. ¿Qué piensa María-Luisa de las dos coincidencias
   que le han ocurrido?
7. ¿Qué sucede en la parada de autobuses?
8. ¿Quiénes son los dos hombres que la han
   secuestrado a María-Luisa?
9. ¿Adónde la llevan?
10. ¿Qué ha descubierto Luis del disturbio en
    Santiago de Atitlán?

III. Estrategia revolucionaria

Después de que María-Luisa lee la carta de Luis los bandidos la ordenan avanzar. Ellos caminan detrás de ella. —¿Qué estará haciendo Luis?— piensa la chica intrigada. Piensa también en las múltiples coincidencias que le han ocurrido. —Los dos hombres que he visto en Santiago de Atitlán de pronto están en el mercado. . . . Un ídolo idéntico al de los indios aparece misteriosamente en casa de don Luis Alcatraz. . . . Y ahora, esos dos hombres que estaban en el mercado me han secuestrado° . . . . ¿Por qué a mí, una persona inocente?. . . Tiene que haber un enlace° entre el incidente de Guatemala y este secuestro del que soy víctima.

Los tres continúan la marcha a medida que cae la tarde. Se hace difícil ver adelante. Cuando llegan cerca de un monte con hojas de banano, la chica nota que es una casa camuflada.

—Este será tu hotel— señala Santos, fingiendo° orgullo, mientras abre la puerta de la casa. La puerta está unida a la pared por medio de dos trozos° de llantas° de hule.° Adentro hay una estufa de barro con cuatro piedras. Una puerta vieja descansa sobre cuatro trozos de madera. Hace las veces° de cama. Entre esta cama improvisada y la estufa hay tres

secuestrado kidnapped

enlace link

fingiendo faking

trozos bits, pieces
llantas tires
hule india rubber

hace las veces at times acts as

21

potes vacíos de "Avena Quaker" que hacen las veces de vasos. Al fondo hay dos platos viejos de china.

—Nosotros nos hospedaremos en el otro hotel— le dice Santos. Señala una casa similar a corta distancia de allí. Está tan cubierta de hojas de banano que casi no se puede ver.

Los tres entran a la casa. Jesús comienza a salir y le dice a ella.

—Descansa tranquila. Si tienes hambre, en el rincón hay un saco de frijoles. Toma estos fósforos para prender el fuego si quieres cocinar.

—Bueno, vamos— dice Santos. —Y no pierdas tu tiempo buscando como escaparte— le dice a ella.

—Sólo hay una salida de esta cueva, y está bloqueada con una roca.

Los dos bandidos salen hacia la otra casa. La oscuridad aumenta. María-Luisa está triste y aburrida.° No tiene nada que hacer, excepto matar mosquitos y tratar de dormir en esa cama dura. La noche en esa cueva es como una noche en el cementerio. El silencio es interrumpido solamente por los raros sonidos de la noche selvática° y el ocasional íííííí de algún mosquito que vuela en círculos buscando donde aterrizar.° La chica trata en vano de dormir. Se levanta de la cama. Abre la puerta levantándola un poco para no hacer ruido. La noche lo cubre todo. Sólo hay una luz en la distancia. Ella avanza en su dirección. La luz proviene de la casa de los bandidos. Con cuidado María-Luisa avanza a la ventana y observa. En el suelo, junto a la lámpara de carburo está acostado Santos. Jesús está en una hamaca. Los dos hablan en voz fuerte sobre la importante misión que están cumpliendo.

—. . . y ¿qué fue lo que te dijo Luis Alcatraz cuando te habló en privado ayer por la mañana?— pregunta Santos a Jesús.

—Nada. Sólo me dio instrucciones de secuestrar a la chica con tu ayuda.

—Yo todavía no entiendo por qué don Luis nos ha

aburrida   bored

selvática   jungle

aterrizar   to land

ordenado secuestrar a la chica— continúa Santos. Y extiende el brazo hasta el suelo para detener el movimiento de la hamaca.

—No seas sencillo— contesta Jesús. —¿No sabes que la chica puede echar a perder° el plan? Dice don Luis que ella sabe que nosotros estuvimos en Guatemala el día del disturbio. También dice que ella vio en su casa el ídolo que nos robamos en Santiago de Atitlán.

echar a perder to spoil

—Yo le dije a don Luis— dice Santos,—que es mejor esconder el ídolo en esta cueva hasta que pase la revolución. Después de todo, el robo del ídolo no era parte de nuestra misión revolucionaria. Nuestra misión consistía únicamente en drogar a los indios para que no avisaran° a las autoridades de la reunión de la tropa de tierra en Atitlán, antes de que ésta marchara a la capital. Si nos robamos el ídolo indio es porque don Luis quiso aumentar su colección de arte.

avisaran warned

—Sí— contesta Jesús, —pero, recuerda, a nosotros nos ha pagado don Luis para hacer ese "trabajito extra." No te olvides de eso.

La chica oye atentamente al pie de la ventana. Se queda sorprendida de esta revelación. Los mosquitos están más fieros° y la noche se pone fría. María-Luisa decide regresar a la casa. Lo más importante ya lo han dicho los bandidos. Abre la puerta con cuidado y María-Luisa se acuesta en la dura cama. No puede dormir. Está muy preocupada. Piensa que tal vez la van a matar los bandidos. Quiere huir de la casa, esconderse en el monte, correr. . . . Pero no lo hace. La noche está oscura y le da miedo. De todas maneras no puede salir de la cueva. —Menos mal que hay suficientes frijoles y agua— piensa con resignación.

fieros menacing

———————

Esa misma noche un automóvil Jaguar ha batido° un record de velocidad sobre la carretera Interamericana. Es Luis Largaespera que acaba de llegar a San

ha batido has beaten

23

Salvador. Ha hecho un viaje de más de 150 millas, desde la capital de Guatemala hasta San Salvador, en aproximadamente cuatro horas. Aunque el terreno al sur de Guatemala y hacia El Salvador no es tan montañoso como el norte, la carretera Interamericana no es exactamente una línea recta. Parece más bien una montaña rusa.° Es estrecha y de dos carriles.° Y cuando se viaja detrás de un camión cisterna° uno jura solemnemente no volver a manejar.°

Al entrar en la ciudad Luis se detiene en la pensión Clark. Está preocupado por María-Luisa. Tiene tiempo de no saber de ella. Pregunta a la recepcionista por la chica. Ella contesta que María-Luisa no se ha ido todavía, pero que anoche no durmió en la pensión. Le pide el directorio telefónico a la muchacha y comienza a buscar una dirección. La anota en una hojita° de papel y se regresa al automóvil. Toma la calle principal y se dirige al parquecito de las exhibiciones de arte. Deja el auto junto al parque y camina, con la hojita de papel a mano buscando el número de la casa de don Luis Alcatraz. Nota que una persona que se acaba de bajar de un auto verde con matrícula° oficial se dirige al mismo lugar. Luis lo observa detrás de un árbol. Es un hombre alto y flaco con un bigote grueso°como una brocha.° Llega a la puerta. Toca el timbre y don Luis Alcatraz sale a recibirlo. Se cierra la puerta, y Luis no ve más de ellos. Temeroso de ser descubierto se esconde detrás de los arbustos cerca de la ventana abierta.

Mientras tanto, dentro de la casa don Luis y el hombre de bigotes de brocha se sientan cómodamente en la sala.

—¿Whiskey, Capitán. . . . o ron?— le ofrece don Luis.

—Ron con coca— le contesta el hombre de los bigotes. Don Luis le lleva un vaso con jaibol° y se sirve una taza de café. El Capitán toma un sorbo° y pone el vaso en la mesita del lado.

—Según los informes confidenciales que acabo de

montaña rusa	roller coaster
carriles	lanes
cisterna	tank
manejar	to drive
hojita	little piece
matrícula	license
grueso	thick
brocha	brush
jaibol	cocktail
sorbo	sip

recibir de Guatemala— dice el Capitán,—la cosa se ha puesto fea en Santiago de Atitlán. La policía ha intervenido por la muerte del doctor y por el disturbio de los indios. Hemos tenido suerte que las autoridades no han comenzado a buscar a los hombres que los indios dicen que han visto bajar de las montañas. Ya les he avisado que se escondan en las montañas con las armas.

—Parece que estamos salados°— dice don Luis a la vez que se lleva un cigarrillo a la boca. Chupa° fuertemente y echa una nube de humo. —¿Quién iba a suponer que el doctor se iba a morir . . . y que los indios . . .

—Sí— interrumpe el Capitán, enojado, —¿y quién iba a suponer que Lorenzo de Medicis iba a tener la brillante idea de comprar un ídolo robado y ponerlo en plena exhibición? Y ahora, ¿qué vas a hacer con la chica? Si la dejas libre nos veremos en dificultades, y si no, también.

Alcatraz no dijo nada. Se quedó pensativo. Por fin habló. —El asunto es bastante grave. Creo que sólo hay una cosa que hacer. Tendremos que adelantar la revolución. Si esperamos más tiempo la policía nos podrá encontrar.

El Capitán no sabe qué decir. Mira a Alcatraz unos momentos con la boca abierta. Le gusta la idea de la revolución pero también está algo preocupado.°

—Es que no hay nada planeado. No estamos listos. Mis hombres en Guatemala piensan que la revolución ha sido cancelada por unos meses y no tenemos como avisarles . . . Claro— añade, cuando recuerda que después de la revolución *él* será el nuevo presidente —si queremos derribar° el gobierno el mejor tiempo para actuar es ahora.

—Por eso— le contesta Alcatraz, orgulloso de su nuevo plan. —Ya lo he pensado todo. Enviaremos a Jesús y Santos a Guatemala. Ellos darán la fórmula secreta a nuestros hombres allá. Al oír la frase secreta "a las armas" todos sabrán que deben comen-

salados clever
chupa inhales

preocupado worried

derribar to overthrow

zar el ataque inmediatamente.

—Hmmmmm— dice el Capitán, moviendo la cabeza asentándose.° —Sí, me gusta el plan. Pero ¿qué vamos a hacer con la chica?

—Pues la chica será una desgraciada° "víctima" de la revolución. Cuando empiece la revolución nadie se va a preocupar de ella. La policía y las autoridades tendrán demasiadas preocupaciones.

—Ja, ja, ja, ja— sonríe el Capitán. Está contento. Piensa en la revolución. Pronto será el nuevo jefe de estado. Pronto será rico y poderoso — y esto le gusta mucho.

—Otra copita, camarada— le invita Alcatraz.

—Con mucho gusto.

Afuera de la ventana abierta Luis se queda paralizado. Había oído todo. —¡Qué horror!— piensa. —Estos hombres son unos monstruos . . . unos locos. Van a comenzar una revolución terrible y por causa de ella mucha gente morirá y el país estará en desorden. . . . Y la pobre María-Luisa. . . . Tengo que salvarla y tengo que hacer algo para impedir° la revolución. ¿Pero qué?

Muy de mañana Luis está de regreso en la casa de Alcatraz. Otra vez se esconde detrás de los arbustos cerca de la ventana abierta. —Don Luis Alcatraz es el único que me puede decir donde está María-Luisa— piensa el joven. —Vigilaré° su casa para ver si puedo saber más acerca de ella. Es lo único que puedo hacer.

En ese momento se acerca un Oldsmobile negro. Se detiene frente a la casa de don Luis y salen dos hombres del auto. Entran a la casa. Luis se acerca más a la ventana y escucha la conversación con facilidad. Don Luis los saluda amigablemente.

—Siéntense, siéntense. ¿Quieren una taza de café?

—¡Sabes una cosa!— dice Jesús en voz alta y asustado. —Se me olvidó la pistola. La dejé junto a la cama en la casa del volcán.

—Dios mío. ¡Cómo es posible!— grita don Luis llevándose las manos a la cabeza. —Vayan rápido a traerla. No pierdan tiempo. Cuando regresen, Uds. vengan al aeropuerto. Los espero en la cafetería del segundo piso.

—Bueno. Ya regresamos.

Los dos bandidos salen corriendo hacia el auto. Dan una vuelta de gangster dejando una nube de humo y hule de llanta. Sin preocuparse por la velocidad se van rápidamente hacia el cráter del Boqueroncito. Luis corre a su Jaguar y con poca dificultad se mantiene a una distancia prudencial de los bandidos. Si lo ven, está perdido. Los bandidos sabrán de quién es ese Jaguar porque no hay otro igual en San Salvador. Para evitar sospechas Luis esconde su auto antes de llegar a la subida° del   **subida top** volcán. Ya los bandidos han parqueado junto a la boca del Boquerón y se han perdido de vista.

1. ¿Qué hace María-Luisa cuando no puede dormir?
2. ¿Quién les dio las órdenes a Jesús y a Santos de secuestrar a la joven? ¿Por qué?
3. ¿Por qué endrogaron a los indios en Santiago de Atitlán?
4. ¿Por qué viene Luis Largaespera a San Salvador?
5. ¿Adónde va Luis después de salir de la pensión?
6. ¿Dónde esconde Luis? ¿Por qué?
7. ¿Qué deciden el Capitán y Luis Alcatraz?
8. ¿Quiénes van a dar la frase secreta para empezar la revolución?
9. ¿Por qué regresa Luis Largaespera a la casa del señor Alcatraz la próxima mañana?
10. ¿Qué hace Luis después de que salen los dos hombres?

IV. A LAS ARMAS

Luis sube a pie por la falda° del volcán. La falda del volcán es montañosa, con una estrecha carretera que asciende en forma de espiral. Luis piensa que es mejor no subir por la carretera. Mira alrededor, pero no hay otro camino.

Decide que lo mejor es caminar por el monte. Camina junto a la carretera para que no lo vean los bandidos cuando regresen. Sube rápidamente. El sudor° le ha mojado° la camisa, pero continúa de prisa. Una motocicleta pasa por la carretera y deja una nube de polvo. Luis nota que en el asiento de atrás va un joven vestido de pantalones azules. Lleva en la mano unos binoculares. —¡Ah! conque éste es el lugar que me han recomendado para ver la capital. Este debe ser el Volcán San Salvador— piensa Luis. Avanza un poco hacia la ladera° del volcán. Ve un pequeño pueblo al lado del sur. Es Santa Tecla, famosa por sus comidas típicas y sus conventos. —Ahora recuerdo— continúa pensando Luis, después de ver el precioso panorama de Santa Tecla y San Salvador —por aquí cerca deben estar los dos cráteres del Boquerón y Boqueroncito de que tanto me han hablado. Ahora recuerdo que uno de esos cráteres era un lago que se evaporó con el calor y

falda slope

sudor sweat
mojado soaked

ladera slope

28

fuego del volcán.

Sin perder tiempo se dirige detrás de la plaza que está muy cerca del cráter del Boquerón. Camina unos pasos hacia el cráter y se asoma. Ve una boca oscura y negra. Siente miedo y quiere volverse atrás, pero inmediatamente recuerda que el destino de la chica está en sus manos. Luis mira la boca del cráter. Nota que las paredes son demasiado altas para poder bajar por ellas. Ni siquiera se puede ver el fondo. En ese momento oye voces. Se esconde rápidamente. Ve pasar a dos hombres —¡son los bandidos!— Vienen por otro camino y luego toman el camino de Luis. Siguen hacia adelante hasta llegar a la plaza donde están los muchachos de la motocicleta. Espera unos minutos Luis, antes de continuar, y ve pasar un Oldsmobile negro . . . . —Pero ¿y la chica?— se pregunta.

Después que los hombres se van, Luis toma el camino por donde salieron ellos. No hay nada que indique exactamente la ruta, pero Luis sigue las pisadas° frescas en el barro húmedo y las ramas° quebradas por donde vinieron los bandidos. Camina alrededor del volcán y nota que más adelante está un hoyo° oscuro.

pisadas footprints
ramas branches

hoyo hole, pit

Asoma la cabeza por el hoyo y ve una especie de camino que se pierde en el fondo. Con mucho temor Luis pone el primer pie en el caminito. Baja por la pared interna del cráter ayudándose con las manos. Avanza como en círculos hasta que ve una media luna de luz en el fondo del cráter. Los bandidos han cerrado cuidadosamente la entrada. No han empujado° la roca completamente y la luz del otro cráter penetra por la abertura.°

empujado pushed

abertura opening

Luis camina hacia la luz. Ve que una roca enorme le cierra el paso. Forcejea por moverla, pero apenas puede moverla. Con los pies en la pared del cráter y las manos y el hombro, da un enorme empujón a la roca. Esta se mueve un poco más. Continúa empujándola rítmicamente hasta que ruede° a un

ruede rolls

lado dejando una pequeña abertura.

Luis entra por la abertura y está en un valle estrecho con vegetación en abundancia. El lugar es un poco más grande que un gimnasio escolar. Hay rocas, árboles. . . . A medida que avanza Luis nota dos casitas cubiertas con hojas de banano. Se acerca un poco más y grita —¡HEEEY!— De una de ellas se oye un eco: HEEEEY, pero es dos octavas más alto. ¡Es la voz de María-Luisa! Corre hacia el lugar de la voz. La chica sale de la casita. Levanta las manos y abre la boca, llena de sorpresa y emoción.

—¡Luis! ¡Qué sorpresa!

—¡María-Luisa!

—Esos dos bandidos inhumanos . . .

—Bueno, bueno; vámonos rápidamente de aquí— dice Luis y toma a la chica de la mano. Ambos salen corriendo. —Tenemos que ir rápido. Ni siquiera hay tiempo para avisar a la policía.

La pareja baja casi a la carrera por la estrecha carretera del volcán. Al llegar al Jaguar le pregunta la chica a Luis:

—¿Y para dónde vamos?

—A la casa de Luis Alcatraz. Parece que se tienen algo entre manos.° Anoche vi salir de su casa al Capitán, el agregado militar de la embajada. Esta mañana Jesús y Santos llegaron bien vestidos a donde don Luis . . . . Anoche los he oído hablar a don Luis Alcatraz con un tal "capitán" sobre un gran plan de una revolución en Guatemala. Ellos quieren tomar el poder.

—¡Ah! Con razón Jesús y Santos hablaban de la revolución la noche que me secuestraron— dice la chica sorprendida.

—Bueno, en todo caso, vamos allá para ver con seguridad lo que se tienen en manos los bandidos.

El automóvil deportivo Jaguar se mueve muy rápido por la carretera que les lleva a San Salvador.

—¡Mira que vas muy rápido!— dice ella.

—Los policías no acostumbran a dar multas° por

entre manos   in hand

multas   fines

30

correr muy rápido— le contesta Luis. —Además, hay justificación. . . .

—Sí, pero es por nuestra propia seguridad— contesta ella protegiéndose con las manos contra el violento impacto del cuerpo. —¡Vas corriendo a casi 100 kilómetros por hora!

La gente que camina junto a la carretera salta° a un lado rápidamente cuando ven el auto de Luis pasar como un torpedo. Los chicos se salen de las casas para ver con deleite el despliegue° de destreza° de Luis en el coche. Están llegando a San Salvador tomando una autopista° ancha. A un lado está una estatua gigantesca de un hombre junto a un globo. Es la estatua del Salvador del Mundo a la entrada de la capital. Las cuadras de la capital pasan rápidamente unas tras otras, hasta que lleguen a un parquecito. Se detiene el auto en forma abrupta haciendo chirriar° las llantas y Luis salta de su asiento. Corre hacia la casa de Luis Alcatraz.

— salta — jump
— despliegue — unfolding
— destreza — skill
— autopista — highway
— chirriar — squeal

—Espérame en el auto— le dice a la chica.

Cuando se acerca a la ventana ve las persianas° cerradas. Las luces están apagadas.° Pega el oído a la ventana y no oye ningún ruido.

— persianas — venetian blinds
— apagadas — put out

Mientras tanto en el aeropuerto, don Luis, Santos y Jesús discuten el plan revolucionario.

—El Capitán me ha dado instrucciones por teléfono acerca de lo que hay que hacer— dice Luis Alcatraz. —No quiere venir en persona por razones obvias . . . . Ustedes saben que él es oficial de la Embajada . . .

—Bueno. Vámonos al grano°— dice Jesús impacientemente.

— vámonos al grano — let's get to the point

Un mozo se acerca a la mesa donde se sienta el temible trío.

—Tres tazas de café— ordena don Luis.

—No. Yo quiero una cerveza bien fría— dice Jesús.

—Y yo un martínez— dice Santos con aire de persona importante.

—¿Un qué?— le pregunta el mozo —¿. . . un martini?

—Ejem . . . . Sí. Eso— dice Santos sonrojado° por su ignorancia.

—No tomen más que eso. Recuerden, ésta es una misión secreta y sumamente importante— los avisa don Luis Alcatraz paternalmente.

El mesero ha regresado con el café, y Jesús se aprovecha° de su viaje para pedirle un pan tostado con mantequilla y mermelada.

—Recuerden— dice don Luis, levantando el dedo índice en alto para dar énfasis a sus palabras —ésta es la última misión que les voy a encargar. Quiero que la hagan según mis instrucciones. El éxito o el fracaso de la revolución depende de ustedes.— Toma un sorbo° de café.

—Ustedes— continúa don Luis, fingiendo una voz de orador —van a tomar el avión que sale en quince minutos hacia Guatemala. Aquí tienen los boletos.

El mozo regresa con una bandeja° en la mano y les sirve las bebidas. —Olvídate del pan tostado— le grita Jesús. —No hay tiempo para eso.— Entonces les escribe la cuenta y don Luis paga inmediatamente.

—La misión de ustedes consiste en dar comienzo a la revolución— les dice en voz baja y mirando de reojo° a ambos lados. —Ustedes van a dar la señal secreta "A LAS ARMAS" al Comandante del aeropuerto. Ya saben quién es el Comandante, ¿no es así?

—El de la oficina frente a la aduana°— contesta Santos.

—Correcto. Después de dar la señal secreta secuestran este mismo avión en que se van a ir. Lo hacen aterrizar° en las montañas de Santiago de Atitlán y traerán a las tropas que atacarán el Palacio Presidencial. La otra mitad del ejército viajará por tierra.

Al oír esto, Jesús comienza a temblar de nervios. Para calmarse se lleva la copa a la boca y toma un trago gordo de martini. Comienza a toser° violenta y convulsivamente. Se lleva la mano al bolsillo en busca de un pañuelo, pero no lo encuentra. Le pide

sonrojado reddened

se aprovecha takes advantage

sorbo sip

bandeja tray

mirando de reojo watching from the corner of his eye

aduana customhouse

aterrizar to land

toser to cough

32

prestado° uno a Santos. Pero Santos no usa pañuelos. **pide prestado** asks to borrow
Entonces don Luis saca uno de su bolsillo — un
pañuelito blanquísimo y perfumado — y se lo da a
Jesús. Don Luis lo queda viendo seriamente. Cuando
Jesús termina de toser, don Luis continúa:
—Toma.— Le entrega a Jesús un estuche° de violín. **estuche** case
Dentro del estuche está una ametralladora° "Tóm- **ametralladora** machine gun
son". —Esta "Tómson" aquí en el estuche la utilizan
para secuestrar el avión.— Don Luis se levanta del
asiento. Camina hacia la salida a los aviones de las
Líneas Aéreas TAN para tomar un DC-3 a Guate-
mala. Jesús y Santos caminan detrás.
—¿Y eso es lo que vamos a tomar?— pregunta
Santos irritado. Señala al avión pequeño de dos
motores con hélices.° **hélices** propellers
—Esos son ataúdes volantes°— añade Jesús. **ataúdes volantes** flying coffins
—Comprendan— contesta don Luis con la cara
seria —que un Jet no podrá aterrizar en el pequeño
aeropuerto del Capitán.
Hay bastante gente amontonada° junto a la puerta. **amontonada** gathered
Esperan a que el oficial del aeropuerto empiece a
tomar los boletos. Se abre la puerta y comienzan a
salir los pasajeros. Don Luis se despide de los dos.
Ellos ni siquiera contestan. Caminan nerviosos. Se
buscan en todos los bolsillos por el boleto, hasta que
por fin lo encuentran. Jesús tenía los dos boletos. Se
van al último asiento. Una aeromoza° amigable les **aeromoza** stewardess
toma los maletines y le quita el estuche de la mano
a Jesús.
—¡Hey! Eso lo llevo a mano— protesta Jesús.
—Es prohibido llevar artículos a mano— le contesta la aeromoza.
Como no hay cupo° para el estuche de violín, lo **cupo** room, space
lleva hacia adelante. Lo tira junto a otras maletas e
instrumentos musicales de una orquesta que viaja
a dar un concierto en Guatemala.
Jesús y Santos están asustados porque no saben
dónde está el estuche con la ametralladora "Tóm-
son." En vano los dos individuos corretean° al lava- **corretean** ramble

torio tratando de localizar el estuche.

Al llegar a Guatemala la aeromoza les entrega las maletas. Después se va adelante y toma la única pieza de equipaje que quedaba: el estuche de violín. Se lo entrega a Jesús y éste sonríe suspirando de contento. Al detenerse el avión los dos bandidos salen corriendo hacia la puerta de salida. Se abren paso a empujones y son los primeros en alcanzar la escalera. Corren hacia la oficina del Comandante.

Jesús se detiene un momento inseguro e indeciso. Voltea a ver a Santos y le pregunta en el oído, —¿cuál es la frase secreta?

—A las armas— le contesta su compañero. Continúan la marcha rápidamente. Llegan a la oficina del Comandante. Empujan la puerta y Jesús abre la boca para dar la señal secreta. Hace movimientos con los labios, pero no le salen palabras.

—¡A las armas!— grita Santos. Salen ambos corriendo de regreso al avión. En la escalerilla, detrás del último pasajero, Jesús trata de caminar rápidamente, pero no puede. Tiembla visiblemente. El estuche de violín se agita como una hoja en el viento. Santos le quita el estuche y le empuja la espalda.

—¡Aeromoza, aeromoza!— le grita Santos. Apenas alcanza el último peldaño de la escalera. —Vamos a secuestrar este avión. Aquí tengo una ametralladora.— Abre el estuche. Introduce la mano y agarra fuertemente la Tómson. Apunta a la aeromoza con ella . . . . hay un silencio de segundos. Luego . . . . una explosión de risa. La aeromoza mira perpleja al bandido y también se suelta en risa. Santos no entiende qué pasa. Jesús está como estatua. —Algo anda mal— piensa. —Esto es demasiado liviano° para ser ametralladora.— Voltea la vista al instante y mira que su mano temblorosa agarra, no una ametralladora, sino el mástil° de un violín. El sudor le corre por la frente como lluvia. La aeromoza se ha equivocado° de estuche. Le dio a Santos el de los músicos de la orquesta. Santos reacciona rápidamente. Se busca la pistola en el bolsillo. Apunta con ella a la

liviano   light

mástil   neck

equivocado   mistaken

35

aeromoza. Se ha detenido la risa. Los pasajeros están serios y pálidos ahora como cadáveres.° La aeromoza camina con el secuestrador a la cabina del piloto.

cadáveres corpses

—Hay que bajar a los pasajeros— le ordena Santos al Capitán. —Después nos llevas al aeropuerto privado del agregado militar de la embajada; queda en las montañas de Atitlán.

El piloto enciende los motores y espera a que baje el último pasajero antes de alzar vuelo.

En la capital de El Salvador, Luis y María-Luisa abandonan la casa de Luis Alcatraz. Han golpeado, tocado el timbre y hasta llamado por teléfono desde el parquecito, sin recibir contestación. María-Luisa otra vez le menciona a Luis lo de la conversación entre Jesús y Santos sobre el plan que tienen de hacer una revolución en Guatemala. Luis piensa un momento y sin perder tiempo se dirige hacia Guatemala en el Jaguar.

—Si es verdad que los bandidos planean una revolución en Guatemala— razona Luis, —tarde o temprano irán allá, si es que no se han ido todavía. Vámonos allá. Estoy listo a capturarlos a como dé lugar.°

a como dé lugar in any possible way

La chica está perpleja. —Entonces, ¿en serio vamos a Guatemala?— le pregunta para salir de dudas.

—Sí, de verdad. No te preocupes por tus maletas, no vamos a estar mucho tiempo, creo yo— dice Luis, anticipando la pregunta.

En poco tiempo llegan a las afueras de la ciudad. El Jaguar toma más velocidad. El pelo de María-Luisa se alborota° con el viento. Luis inhala profundamente el puro y perfumado aire de las montañas.

se alborota flies, blows

1. ¿A qué lugares persigue Luis a Santos y a Jesús?
2. ¿Por dónde busca Luis a la joven?

3. ¿Qué oye Luis en el valle del volcán? ¿De quién es la voz?

4. ¿Por qué quieren regresar a San Salvador los dos jóvenes?

5. Según las instrucciones de Alcatraz, ¿adónde irán Jesús y Santos?

6. ¿Por qué irán allá?

7. Después de dar la frase secreta, ¿qué tienen que hacer Jesús y Santos?

8. ¿Por qué tienen miedo en el avión Jesús y Santos?

9. ¿Qué sucede cuando Santos abre el estuche de violín?

10. ¿Por qué deciden regresar a Guatemala Luis y María-Luisa?

V. De regreso a Guatemala

Los jóvenes piensan que los bandidos están en el Oldsmobile. Luis va lentamente porque su Jaguar corre más rápido que el auto de los bandidos. Espera encontrarse con ellos en el camino. Cuando están a unos doce kilómetros de la capital de El Salvador, sobre la misma ruta de El Boquerón y El Boqueroncito, María-Luisa comienza a tener hambre. El viaje es largo y es casi imposible hacerlo sin detenerse.

—Ves ese volcán adelante— le indica Luis. —Es el Volcán El Salvador donde están los cráteres gemelos° **gemelos** twin Boquerón y Boqueroncito. En la parte sur de este volcán está el pueblo de Santa Tecla.

—Entonces podemos almorzar allí.

—Sí— responde Luis. —Podemos almorzar con *pupusas* y *quesadillas*. Son la especialidad de Santa Tecla. Mucha gente viaja expresamente desde la capital a este lugar para comer *pupusas* y *quesadillas*.

—¿Y qué son esas? Sé de *pesadillas*,° pero no de **pesadillas** **nightmares** *quesadillas*— bromea María-Luisa.

—¡Ah! Se me olvidó— dice Luis sonriendo. —No has tenido tiempo de visitar estos lugares típicos de El Salvador. Bueno. La *pupusa* es una tortilla rellena° **rellena** filled con carne molida° o con queso. Es deliciosa. La **molida** ground

38

quesadilla es una tortilla de arroz y harina,° un poco dulce, con queso adentro. Es deliciosa con una taza de café o chocolate.

harina   flour

Al entrar al pequeño pueblo de Santa Tecla, Luis ve una pulpería al lado de la carretera. Tiene un rótulo° arriba de la puerta: PULPERIA LAS DE- LICIAS.

rótulo   sign, lettering

—Vamos a comer en esta pulpería que tiene deliciosas pupusas y quesadillas— le dice Luis. Dejan junto a la pulpería. Es una casa humilde de madera. Adentro hay cinco mesas de madera, sin pintar. La madera es lisa° del uso. Casi todas están ocupadas. Hay bancos a cada lado de ellas. Tres señoras de edad con ropa típica salen de la cocina con bandejas llenas de pupusas y quesadillas. Llevan vestidos de algodón floreado, de suaves colores y delantales blancos de saco de harina. Las mujeres tienen el pelo atado° en un moño.° Los zapatos son sencillos de cuero° o cuero sintético. Son atados con cintas o correas° igualmente de cuero o cuero sintético. Sobre la mesa hay un salero° y un chilero y cebollas. Luis y María-Luisa se acomodan en una de las mesas y piden pupusas y quesadillas y dos tazas de café.

lisa   smooth

atado   tied
moño   chignon
cuero   leather
correas   laces

salero   saltshaker

—Casi todas las personas que vienen aquí son de la capital— explica Luis. —Y no son turistas tampoco. Son jóvenes con sus novias, viejos con sus familias. Algunos vienen en bus, otros en auto.— La señora les sirve las quesadillas y pupusas en una servilleta° de tela.

servilleta   napkin

—Mmm. Delicioso— dice la chica, después de hincarle el diente° a la quesadilla deliciosa.

hincar el diente
biting

—Esta es una de las delicias de este lugar. Mmm. El café está sabroso. Pruébalo.

Después de comer continúan el viaje.

—Todavía es temprano, nos vamos a ir a "Guate" por la Carretera del Litoral— dice Luis.

—¿Cuál es la diferencia entre ésta y la Carretera Interamericana?

—Esta es más larga, pero más pintoresca. Litoral

significa costa, y efectivamente, eso es lo que estamos haciendo. Viajamos por la costa del Océano Pacífico.

Media hora más tarde la pareja comienza a ver el paisaje espectacular de la costa. Es una carretera más estrecha, pero más excitante. A la derecha se levantan las montañas interrumpidas en parte por la carretera y que continúan al otro lado hasta terminar en la oscura arena volcánica de la playa. Desde ciertas partes de la carretera uno puede ver las olas del mar. No son olas grandes ni violentas sino pacíficas. Bañan constantemente las negras y brillantes arenas de la playa.

Dos horas más tarde Luis y María-Luisa están llegando a Sonsonate — a 65 kilómetros de la capital. Es un pueblo muy viejo y pintoresco. Sus cuatro conventos y numerosas iglesias coloniales son un testimonio de la influencia española, muy fuerte en el lugar. Luis y María-Luisa pasan por la ciudad, pero no se detienen.

—¡Mira!— señala María-Luisa. —¿Cómo se llama ese enorme volcán?

—Es el Volcán Izalco. También lo llaman "El Faro del Pacífico" porque hace mucho tiempo servía de faro° a los navegantes. En forma intermitente, cada quince minutos echaba fuego y humo que se podían ver desde lejos.

faro lighthouse

—¡Qué raro! Nunca había oído hablar de un volcán que se encendiera y apagara como árbol de Navidad.

El automóvil va dejando atrás rápidamente ese panorama encantador. Viajan ahora un poco hacia el norte para encontrarse con la Carretera Interamericana.

—Santa Ana queda adelante— dice Luis.

—¿A qué horas llegaremos a Guatemala?

—No sé con seguridad. Hemos perdido bastante tiempo.

—¿Llegaremos temprano? ¿Podemos entretenernos un poco, ir al cine o a comer a un buen restaurante? ¿Qué te parece?

—De acuerdo— dice Luis. —Hay que olvidar los

problemas por un tiempo y alegrarse un poco.

—Según el cuentakilómetros, hemos viajado casi 100 kilómetros desde que salimos. Unos 80 kilómetros de San Salvador a Sonsonate y unos 20 de Sonsonate acá.

—Así es. El viaje es unos 40 kilómetros más corto. Pero es más monótono el viaje. Tenemos suerte que todavía no ha comenzado el temporal— dice Luis.

—Es el tiempo de lluvias de esta región. Empieza un poco después de Semana Santa, como en abril. Entonces es casi imposible viajar por esta carretera.

—¿Hay muchas inundaciones?° inundaciones floods

—No. Muchos derrumbes.° Una vez iba yo de Guatemala a Honduras en esta carretera. Adelante iba un Volkswagen pequeño. Antes de llegar a la frontera con Guatemala hubo un gran derrumbe. Una roca le cayó encima del Volkswagen dejándolo como tortilla. derrumbes landslides

—¿Y el chofer . . . ?

—El chofer también quedó como tortilla. Yo me salvé por milagro.

—¡Uuuf! ¡Qué horrible!— dice María-Luisa. Mira el velocímetro del auto y dice —¡Cuidado! Maneja con cuidado que vas muy rápido. Vas a 70 kilómetros por hora.

Luis hace virar° el auto para asustar a María-Luisa. Vira violentamente a la derecha, hacia la pared. Luego vira a la izquierda, pasando como a dos pulgadas de la enorme pared de rocas junto a la carretera. virar to veer

—¡Uuuy!— grita María-Luisa. Esconde° los ojos para no ver el desastre. —¡Dios mío! ¡Nos matamos! esconde hides

—Ja-ja. Es sólo para asustarte. No te preocupes. Este auto es hecho para esta clase de manejar.

—¡Uf!— suspira la chica, sintiéndose fuera de peligro. —No vuelvas a hacer esa gracia. Si no me muero del accidente, me voy a morir del corazón.

Las casas aparecen con menos frecuencia. Se acercan a la próxima ciudad y se ven más y más campos sembrados con café. Los granos de café están madu-

ros° y son rojos como cerezas. Este es el tiempo cuando **maduros** ripe
el café es cortado de las matas. El Jaguar disminuye
la marcha a 20 kilómetros al entrar a Santa Ana, la
última ciudad antes de entrar a la frontera guatemalteca. Es una ciudad bonita y grande. Para entrar
a ella hay que subir un poco por el valle del Volcán
Santa Ana. Las casas son antiguas, de estilo colonial.
Las calles están bien pavimentadas. Al pasar junto
al edificio de arquitectura gótica de la Catedral,
María-Luisa se lamenta que no tiene su cámara fotográfica. Luis se detiene en una estación gasolinera.

—¿Le pongo un tigre en el tanque?— pregunta el
hombre de la gasolinera.

—No— le contesta Luis. —Póngame un jaguar en el
tanque. Que sea de alto octanaje.

El hombre sonríe. Camina hacia la bomba de
gasolina que dice: SUPER: ALTO OCTANAJE.

Mientras llenan el tanque Luis y María-Luisa
caminan hacia una pulpería en la esquina.

—Vamos a ver si hay cajetas° en la pulpería. Las **cajetas** candy
cajetas de Santa Ana son deliciosas.

—En la capital compré cajetas de leche. Estaban
muy deliciosas.

—Las cajetas de Santa Ana son mejores aún. Las
hacen de almendra° y caramelo de fruta. **almendra** almond

Con dos colones María-Luisa compra un trozo
grande de cajeta para ir comiendo en el camino.
Regresan al automóvil y continúan. A la salida de
Santa Ana dos policías vestidos en el tradicional uniforme verde olivo y armados con pistola y metra-
lleta,° detienen el auto de Luis. Hablan rápidamente **metralleta** small machine gun
sin poder esconder el nerviosismo.

—Queremos que nos lleve en su auto. Tenemos
una importantísima misión.— Luis abre la puerta del
Jaguar y los dos policías se acomodan en el asiento
trasero.

—Hacia la frontera. Lo más rápidamente posible—
ordena uno de los hombres. Tiene en una mano la
metralleta como para mandar respeto y obediencia.

—Ustedes mandan— contesta Luis. —Voy a ir lo

42

más rápido que pueda; pero si es demasiado lento sólo tienen que decirme— continúa Luis, con una voz dura y un tono sarcástico.

El Jaguar gana velocidad como un cohete° espacial entre nubes de polvo y humo. Los dos policías agarran fuertemente la manija° de la puerta para no perder el balance. La metralleta cae al suelo. María-Luisa inclina el cuerpo hacia adelante y voltea la cabeza a un lado preguntándole a los pasajeros:

—¿Y qué es lo que ha pasado en la frontera?

—Han robado el Banco Central de El Salvador y tenemos órdenes de la Comandancia de vigilar la salida de personas por la frontera.

—¿Y por qué no usan un auto de la policía?— pregunta la chica intrigada.

—Porque hay un número muy limitado de radio-patrullas en la Comandancia— contesta uno de los militares.

A unos 20 kilómetros de la frontera con Guatemala, sobre un terreno estrecho de la carretera, un camión grande avanza lentamente.

—¡Cuidado!— dice el guardia. Luis toca la bocina° de su auto. El chofer contesta con un honk-honk, pero no se mueve del centro de la carretera.

—Suena como bocina de bicicleta— dice el guardia.

Luis se acerca a pocas pulgadas° del camión y vuelve a sonar la bocina. El chofer saca el brazo por la ventanilla y enseña el puño° disminuyendo aún más la velocidad. Los dos policías se ponen furiosos.

—Ya los voy a asustar— dice el policía enojado. Saca la pistola y hace varios disparos° al aire.

El chofer del camión, asustado, se hace al lado de la carretera. Luis lo pasa y vuelve a aumentar la velocidad.

—Te has fijado en ese auto verde— dice María-Luisa volteando la cara hacia Luis.

—Sí. Parece que se ha asustado con los disparos.

—Aprieta° más el acelerador— sugiere el policía. Luis aprieta más el acelerador. El velocímetro sube

cohete rocket

manija handle

bocina horn

pulgadas inches

puño fist

disparos shots

aprieta press down

43

a los 120 kilómetros por hora y la distancia entre los
dos autos disminuye.

—Esto que está pasando me parece sumamente
sospechoso°— dice el policía. —¿Por qué ese auto
verde va a tan alta velocidad? Parece que quiere
escaparse de nosotros por una razón que ignoramos.
¡Hay que detenerlo!— Luis aumenta su velocidad y
pasa junto al auto. En este instante uno de los policías hace varios disparos. Le pega° a la llanta° trasera del auto verde. El auto pierde control y comienza
a zigzaguear hasta detenerse al lado de la carretera.

Los dos policías saltan del Jaguar. Luis y María-
Luisa se esconden. Un hombre sale corriendo como
loco del automóvil verde. Trata de esconderse entre
los árboles. La voz de uno de los policías lo hace
detenerse en gran confusión:

—¡Comandante Mendota!— grita uno de los
guardias del Jaguar. El hombre voltea la cara rápidamente y sostiene con ambas manos una metralleta
en posición de fuego.

sospechoso suspicious

pega hits
llanta tire

—¡Somos amigos!— gritan los policías del Jaguar.

El hombre de uniforme verde olivo comienza a bajar la metralleta a un lado. Mira con desconfianza y contesta: —¡Idiay!° ¿Qué hacen ustedes por estos lados?

idiay   hey

—Vamos a la frontera en una misión especial—responde uno de los ocupantes del Jaguar.

—¡Así es la cosa! Van en busca de los ladrones del banco, eh?— pregunta el Comandante Mendota.

—¿Cómo lo sabes?

—Porque yo también tengo que patrullar la frontera.

—Discúlpanos— dice uno de los policías. —Vimos que aumentabas la velocidad y creíamos que eras uno de los bandidos.

—Tienen suerte que no hicieron más. Cuando oí la metralleta de ustedes creí que eran los bandidos que me disparaban. Por eso aumenté la velocidad para llegar a la aduana antes que ellos.

—Bueno. . . . Te ayudaremos a cambiar la llanta—

dice uno de los policías del Jaguar. Después le da las gracias a Luis por el viaje y le dice adiós a la chica.

—¡Uff! ¡Qué alivio!— dice María-Luisa, cuando el Jaguar está lejos de los policías. Respira profundamente y luego añade: —No sé si reírme o ponerme a llorar. ¡Tantos problemas que hemos tenido!

—Olvidémonos de lo trágico y pongámonos a reír . . . — dice Luis Largaespera y su mirada se voltea a la ventanilla de su automóvil. Las montañas pasan en monótona sucesión.

—Ahora sí ya estamos cerca de Guatemala— dice Luis. —La próxima parada será la aduana, al llegar a la frontera.

La carretera es bastante buena, aunque un poco estrecha. El calor del día ha disminuido considerablemente.

—¿Qué hora es?— pregunta Luis.

—Son las cinco y media.

—Vamos tarde.

—¿A qué horas llegaremos a la capital?

—Como a las ocho. Antes si no nos tardamos en la aduana.

El terreno es más irregular y áspero. En vez de las plantaciones de café comienzan a verse milpas° de maíz alternando con campos donde pastan° algunas vacas flacas. De vez en cuando se ve una casa de adobe con techo de paja° junto a la carretera.

milpas fields

pastan graze

paja straw

La pareja cruza la frontera sin mucha dificultad. Después de allí, el viaje a la capital de Guatemala es rápido. A las siete y media el Jaguar entra a la ciudad. Se empiezan a ver las extrañas numeraciones de las calles de Guatemala: Zona 1, 6ª. Calle Poniente número 40.°

°En inglés: West 6th Street, number 40. It's not hard to confuse Poniente with the name of the street. Even native Guatemalans do it all the time. Actually *Poniente* means West. In Guatemala City, like New York, most streets go by a number instead of a name. The last number ("40" in the example) stands for the distance, in meters, from the intersection to the exact location of the addressee.

—Vamos a mi apartamento antes de ir a cenar— dice Luis.

—¿Dónde vives?

—Entre la 12 calle y la 6ª Avenida.

—¡Huh! En el centro de la ciudad.

—En el Fifth Avenue de Guatemala.

El tráfico no es tan fuerte y Luis encuentra parqueo sin dificultad junto a su apartamento.

Está en un edificio moderno pero no muy nuevo, entre varias oficinas de negocios. Suben a limpiarse y luego bajan para ir al restaurante.

—No es necesario tomar el automóvil— dice Luis.

—Esa es la ventaja° de vivir en el centro de la ciudad.— La noche es agradable, como todas las noches en Guatemala. El aire es fresco y poco contaminado. Hay pocas personas en la calle. Caminan ambos de la mano como si fueran novios. María-Luisa se detiene aquí y allí, frente a los escaparates° de los almacenes. Los rótulos de neón están sobre sus cabezas: Souvenirs, Barbería, Café, Almacén. . . .

> ventaja advantage

> escaparates display windows

Entran a un sitio bien iluminado y limpio. Se sientan a la mesa y ordenan pollo asado y carne asada con arroz, frijoles y ensalada. La chica pide una taza de café y Luis, una cerveza bien fría. La noche es amena. El ambiente, jovial y encantador. . . , todo está bien para una buena digestión y un buen paseo por el parque. . . . Luis pide la cuenta y saca el dinero del bolsillo cuando María-Luisa le hace señas con el ojo. Luis no le entiende. Ella le indica hacia la puerta. . . . Luis ve que dos hombres acaban de abrir la puerta. Son Jesús y Santos. Luis paga la cuenta y sale rápidamente en busca de los bandidos. Sale del restaurante.

Voltea a ver a ambos lados y no ve a nadie. Camina hasta la esquina y no ve a nadie. Regresa y toma a la chica del brazo. Caminan en la dirección opuesta. Al llegar a la esquina miran a todos lados y no ven a nadie. Los bandidos se han escapado.

—Bueno, se nos han perdido— dice Luis.

—A lo mejor vienen a comer a este lugar— dice la chica.

—Mañana podemos venir a ver . . . ya se hace noche. Es mejor continuar buscándolos mañana temprano.

1. ¿Cómo es el paisaje de la costa?
2. ¿Qué hace Luis para asustar a María-Luisa?
3. ¿Con quiénes se encuentran los dos jóvenes al salir de Santa Ana?
4. ¿Adónde quieren ir? ¿Por qué?
5. ¿Por qué dispara su metralleta un policía?
6. ¿Quién es el "bandido" del auto verde?
7. ¿Adónde van Luis y María-Luisa después de llegar a la capital de Guatemala?
8. ¿A quiénes ven Luis y María-Luisa en el restaurante?
9. ¿Pueden hallar a Jesús y a Santos los dos jóvenes?
10. ¿Qué resuelven a hacer Luis y María-Luisa?

VI. Los bandidos son descubiertos

A la mañana siguiente los dos jóvenes desde muy temprano continúan la búsqueda de los bandidos. María-Luisa dice que es mejor comenzar el día con un buen desayuno. También podrán planear con más calma el curso que van a seguir. La mañana está bastante fresca, un poco en el lado frío. El cielo está nublado y parece que va a llover. Ambos caminan al auto parqueado a corta distancia. Luis tiene la idea que es mejor buscar a los bandidos a pie o en autobús para no llamar la atención en el Jaguar. Después de todo, los bandidos bien saben de quién es, porque es el único vehículo de esta clase en todo el país.

Caminan hasta llegar a un pequeño café. Es un lugar limpio y sencillo. Las mesas son de madera varnizada y el piso de ladrillo. Hay un poco de gente desayunándose. La mayoría de ellos son turistas o gente que viene de las afueras de la capital. Los que viven en la capital no se acostumbran° a desayunar afuera. María-Luisa pide una taza de café y dos panecillos.° Luis pide huevos fritos, rosquillas° y café.

 —Lo primero que tenemos que hacer es ir a la Jefatura de Policía— dice Luis. —Después de informar

acostumbran used to

panecillos rolls
rosquillas donuts

a la policía de los planes revolucionarios podemos continuar la búsqueda de Jesús y Santos en los alrededores del Restaurante Las Vegas donde los vimos anoche.

—Yo creo que están hospedados cerca. Aquí es donde está la mayoría de las pensiones y hoteles.

—Si caminamos y viajamos en bus tendremos mejor oportunidad de verlos— dice Luis.

Luis toma la cuenta de la mesera y se saca un billete del bolsillo. María-Luisa se ofrece a pagar, pero Luis le dice que no. Toman sus abrigos y salen a la calle.

—¡Huy!— dice María-Luisa. —Parece que se está poniendo malo el día.

—Ojalá que no llueva todavía. Corramos que ya viene el bus.

Corren a la parada de buses a la media cuadra.° Se suben, pagan el pasaje y reciben un boleto, como en el cine. Un señor de edad le cede el asiento a María-Luisa. Luis se queda parado. El bus va lleno de gente: indios, con ropa típica multicolor, sombrero y caites,* campesinos que van al mercado o a algún negocio en el centro. También hay ladinos en camisa de mangas° que van al trabajo, uno que otro señor vestido de saco y muchachas ladinas que generalmente trabajan como secretarias o dependientas de establecimientos comerciales.

El bus arranca° con un enorme rechinar.° Deja una nube gris de gasolina mal quemada y aceite. Toma velocidad con grandes sacrificios. El motor ruge° como un león herido hasta que el chofer hace

cuadra block

camisa de mangas shirt- sleeves

arranca pulls out
rechinar shaking

ruge roars

*El caite (pl. caites) is an all-season footwear for the poor in Guatemala. Their popularity is due to a great extent to the durability and low cost of these rugged sandals with rubber soles that are painfully cut out of discarded car tires. The leather thongs (coyundas) to hold the soles in place can be replaced over and over with little effort. A pair of caites gives better mileage than a pair of boots—two years with heavy use. A pair of caites costs about 3.50 quetzales, and a spare thong costs fifty cents.

el cambio de velocidad. Las casas van pasando por la ventanilla en monótona sucesión. Casi no hay edificios altos. A la distancia se puede ver el Palacio Nacional, un edificio enorme y sólido, como todos los edificios coloniales del lugar.

—Lástima que no haya tiempo para ver todos estos edificios maravillosos— se lamenta María-Luisa.

—Lástima— contesta Luis. —Hay mucho que ver. Cada uno de estos edificios antiguos es un museo en sí. Algunos, como el municipal, tienen murales. Otros tienen estatuas y vidrios de color.

El bus pasa por el mercado que ocupa toda una manzana.° Hay gente por todas partes. La chica se queda sorprendida de ver tanta variedad de gente reunida en un espacio tan reducido. Hay variedad de lenguas, vestidos y hasta de costumbres. Los indios hablan en su dialecto nativo entre ellos mismos en el mercado y cada grupo se viste según su lugar de origen.

manzana block

—Aquí es donde los indios de Atitlán venden su maíz, ¿no es cierto?— pregunta la chica.

—Sí. Y los indios de las demás regiones agrícolas. En este mercado se venden los productos de consumo diario. Mucha gente, sobre todo gente pobre, viene al mercado todos los días por la mañana a comprar la comida del día. ¿Sabes por qué?— pregunta Luis.

—Sí— contesta la chica, —porque no tienen refrigeradores para mantener los alimentos frescos.

—Ajá— dice Luis. —Por eso.

Al llegar a la parada de la Jefatura de Policía Luis y María-Luisa caminan hacia la puerta de salida. El edificio de la Policía es grande. Tiene pocas ventanas y es un color verde oscuro. Hay dos guardias bien armados a la entrada. El Comandante de la Policía está en una de las salas grandes cerca de la entrada. Su oficina es grande, triste y oscura. Hay dos bancos de madera a los lados. Enfrente de la puerta está el escritorio del Comandante. Se puede notar que originariamente era de un color verde y después fue cambiando de color con el tiempo y la mugre.° mugre grime Encima hay legajos° de papeles amarillentos y pol- legajos bundles vorientos. Luis y María-Luisa saludan al Comandante. Este sonríe y les da la mano inclinando la cabeza ceremoniosamente. Les indica que se sienten.

—Venimos a darle alguna información— dice Luis —sobre el disturbio en Atitlán hace como una semana.

—Ah, sí, sí. Ya sé de qué disturbio está hablando. Estamos trabajando activamente en ese asunto— contesta el Comandante.

—Bueno. Venimos a darle más detalles sobre ese asunto que . . .

—¡Aaah! Tenemos tantos de esos detalles que no sabemos qué hacer con ellos— interrumpe el Comandante algo irritado. —Sabía usted que. . . .

—Un momentito, señor— dice Luis,—pero si todavía no le he dicho de qué información se trata . . .

—¡Nooo! No quiero oírla. Estamos cansados de esta clase de ayuda de gente "bien intencionada" . . .

—Pero escuche, señor, es un plan para armar una revolución . . .

—Mire, amigo— responde el Comandante sin prestar atención. —No pierda su tiempo y el mío. Este asunto de los indios se ha convertido en novela policíaca . . . y todos quieren ser detectives.

—Bueno— dice Luis. —Ya que ustedes en autoridad no quieren resolver el asunto, tendré que hacerlo por mi propia cuenta.

Salen Luis y María-Luisa de la oficina del Comandante.

—Parece que no están interesados en recibir ayuda de nadie— dice María-Luisa.

—No sé por qué ocurre esto— dice Luis. —Lo mismo sucedió en Santiago de Atitlán. Llega la policía e inmediatamente dictamina° que los indios están dictamina express an opinion borrachos o están alucinando.

—Caminemos rápido— dice la chica. —Ha caído una gota de agua.

—Es mejor regresar a tomar el auto— dice Luis. —De lo contrario nos vamos a mojar.

Ambos toman el bus de regreso. Llegan al auto y continúan en busca de los bandidos. Después de dar una vuelta por el centro de la ciudad, caminan sobre la avenida principal. Hay bastante gente, como de costumbre. Muchas esperan dentro de tiendas y restaurantes a que pase el agua. Cansados de la búsqueda Luis y María-Luisa se van a almorzar al mismo restaurante de la noche anterior. Hay bastante gente adentro.

Se acomodan en una mesa desocupada desde donde se puede ver la puerta de vidrio de la entrada. La mesera se acerca con el menú.

—Yo quiero un encebollado° con café negro— dice Luis.

encebollado beef stew

—Y yo— dice María-Luisa,—una taza de café y un plato de sopa.

—¿Sólo eso?

—Sí. . . . Bueno, también un emparedado° de pollo con bastante lechuga.°

emparedado sandwich

lechuga lettuce

despegar taking off

Luis come rápidamente sin despegar° la vista de la puerta. Se acerca la mesera con la cuenta. Luis le pregunta si conoce a Jesús y Santos y le da una descripción de ellos. Ella dice que no. Se levantan de la mesa y comienzan a salir cuando María-Luisa ve pasar un Oldsmobile negro. Salen rápidamente y sólo pueden ver un par de cabezas por la ventanilla trasera del automóvil.

—Con seguridad que son los bandidos— dice Luis.

El Jaguar arranca detrás del Oldsmobile. Se acercan lo suficiente y se dan cuenta de que son ellos — Jesús y Santos. Después se van quedando atrás, manteniendo una distancia prudencial para no ser descubiertos por los bandidos.

—Parece que se dirigen fuera de la ciudad— dice Luis.

—Van sobre la misma carretera que lo lleva a uno a Antigua.

El terreno es montañoso. Esto ayuda enormemente a que Luis y María-Luisa se mantengan bastante cerca de ellos sin ser vistos por los bandidos. A pesar de que Antigua está a la misma altura que Guatemala, hay que subir y bajar y dar mil vueltas para poder llegar allí. Al entrar a la ciudad-museo de Antigua, los bandidos aumentan la velocidad.

En el Oldsmobile negro los dos bandidos conversan.

—Me avisas cuando lleguemos al desvío° de Panajachel— dice Jesús. —Siempre se me olvida dónde queda. **desvío** detour

—Es sencillo. El camino está junto a la única estación gasolinera. . . . Exactamente a cinco kilómetros antes de llegar a Panajachel. ¿No recuerdas?

—¡Queee! Yo no me preocupo por detalles tontos— dice Jesús dándose aires de persona importante con muchas responsabilidades y preocupaciones.

A medida que van subiendo por las elevadas montañas guatemaltecas se sienten más frío. Ya ha dejado de llover. Pero la humedad continúa en el aire, flotando como la neblina.° Los campos son verdes y brillantes. Los colores son todos más intensos y la vida brota° por todas partes. **neblina** mist
brota buds

—Estoy pensando en el secuestro del avión— dice Santos. Permanece callado por un tiempo y continúa. —¿Viste cómo se pusieron de pálidos los pilotos cuando vieron cómo era de pequeño el campo de aterrizaje?° **aterrizaje** landing

—De suerte que tocamos tierra sin novedad— contesta Jesús. —Lo que soy yo, no me vuelvo a subir a un aparato de ésos— añade.

—¿Es que no quieres viajar con las tropas que van por aire a la capital?— pregunta Santos.

—Nooo. Yo no vuelvo a poner pie en ese avión. Le he dicho al jefe que yo me encargo de transportar a las tropas en el camión— dice Jesús. —Bastante he hecho con ayudarte a secuestrar ese ataúd volante y aterrizar en el patio de la casa del Capitán, en ese

patio que tienen la osadía° de llamar campo de **osadía** boldness
aterrizaje.

—Sí. Tienes razón— dice Santos. —Fue una hazaña
muy grande el secuestrar ese avión y hacerlo aterrizar en esa pista° que tú llamas patio. . . . Por un **pista** strip
momento creí que todo iba a salir mal con ese violín
. . . . y tú que estabas más muerto de miedo que un
muerto. Ja-ja-ja-ja-ja-ja.

—Está bien— dice Jesús, resentido. —Te puedes
burlar de mí. Pero, como dice la Biblia, "El que ríe
. . . ."— Las últimas frases se perdieron con el ruido
del golpe que se dio Santos en la cabeza cuando el
auto pegó° un salto sobre un montón de rocas en **pegó** hit
la carretera.

—¡Uuuuf! Mi cabeza. Con cuidado, che;° con cui- **che** say, listen
dado. . . .

—Como te iba diciendo— continúa Jesús tranquila-
mente —"El que ríe por último ríe mejor." Cuando
triunfe la revolución ya me vas a ver de Jefe de las
Fuerzas Armadas de Guatemala.

—Ji-ji-ji-ji-ji— se ríe Santos burlonamente. —Ji-ji.
Ve quien va a ser nombrado Jefe de las Fuerzas
Armadas. . . .

Jesús no presta atención. Está demasiado ocupado
con sus pensamientos de grandeza. Mueve la cabeza
y tuerce° los labios a la vez que dice: —. . . . y voy **tuerce** twists
a manejar un Mercedes Benz negro con una luz roja
en el techo.

Los bandidos toman una bajada° de 45 grados. **bajada** descent
Cuando llegan al fondo ven la estación gasolinera y
el camino al campo de aterrizaje.

—Despacio, despacio— dice Santos. —Ya estamos
por llegar.

Toman el desvío y continúan en un camino más
estrecho y áspero. Apenas hay espacio para el automóvil. Luis y la chica ven una nube de polvo y toman
el desvío. Hay árboles a ambos lados de la carretera
y el monte es alto. Sólo de vez en cuando se puede
ver a lo lejos el Lago Atitlán, a la derecha del ca-

mino. Avanzan unos diez kilómetros hasta llegar a un lugar donde hay más monte y una gran cantidad de árboles. Los bandidos doblan a la derecha para salir a un terreno limpio y parejo° donde está el avión secuestrado.

parejo even

Junto al avión está un camión grande. Una gran cantidad de hombres bajan del camión y suben al avión. Llevan cajas al hombro. Todos están bien armados con rifles y ametralladoras. Al ver esto, la chica y Luis se quedan inmóviles y con la boca abierta. Están muy asustados, y se sienten totalmente indefensos. Luis se reanima° y piensa que ellos son los únicos que pueden detener la revolución. Le dice esto a la chica, y ella también está de acuerdo.

se reanima revives

—Esos hombres no sólo son ambiciosos, sino también, locos— dice María-Luisa.

—Tú te quedas en el auto. Aquí tienes las llaves por cualquier emergencia. Yo me voy a tratar de detener el avión.

—No. Es demasiado peligroso. Mejor no hacerlo— dice la chica en una voz temblorosa de nervios.

—No te preocupes— le dice Luis. —Yo sé exactamente lo que voy a hacer.

Luis avanza escondido entre la elevada maleza.° Se va acercando calladamente al avión. En el camión hay un grupo de hombres. Jesús está al volante° y Santos a su lado. El camión comienza a moverse. Se está alejando del avión. El último hombre se ha subido al avión y una mano cierra la puerta. El piloto enciende los motores y las hélices gradualmente desaparecen de vista.

maleza weeds

al volante behind the wheel

1. ¿Qué deciden hacer primero los dos jóvenes?
2. ¿Cómo reacciona el Comandante de la Policía al

oír de los planes revolucionarios?

3. ¿Adónde van Luis y María-Luisa después de salir de la Jefatura de Policía?
4. ¿Qué ven pasar?
5. ¿Adónde persiguen Luis y María-Luisa el Oldsmobile negro?
6. ¿Qué dicen Jesús y Santos de su gran hazaña de secuestrar el avión?
7. ¿Dónde está el avión secuestrado?
8. ¿Por qué suben los soldados al avión?
9. ¿Qué quiere hacer Luis?
10. ¿Por qué tiene miedo María-Luisa?

VII. La guerra de nervios

En un extremo del campo de aterrizaje del Capitán
está el camión con las tropas de tierra que despeja°   **despeja** clears
la pista para que el avión DC-3 pueda despegar.°   **despegar** to take off
Necesita todo el espacio disponible para despegar.
Va lleno de soldados y el campo de aterrizaje es
demasiado pequeño.

    Luis camina con cuidado hacia el extremo de la
pista opuesta a la del camión. Lleva una roca en la
mano que acaba de recoger del suelo. Luis sabe que
el avión avanzará hasta el borde de la pista, cerca de
la maleza.° El avión tendrá que avanzar hasta el   **maleza** weeds
borde de la pista para dar una vuelta en U y aline-
arse en posición de despegue. Después calentará°   **calentará** will warm up
los motores produciendo un viento fuerte como el de
un huracán pequeño. Luis tendrá que impedir el
avión. Si no lo impide, se escaparán los bandidos. Y el
viento huracanado lanzará a Luis contra los árboles
con la fuerza de un cañón.

María-Luisa se aprovecha del ruido ensordecedor° de los motores del avión para encender° el Jaguar. Se sale de la maleza caminando y desde un lugar oculto vigila los movimientos de los bandidos. No se explica cómo es posible que Luis vaya a detener el avión por sí solo. Y si lo hace, ¿qué va a hacer con los bandidos del camión? Se regresa al Jaguar rápidamente. Lo pone en retroceso y sale de la maleza. Da una vuelta y corre rápidamente de regreso hacia la carretera principal.

ensordecedor deafening
encender to start, turn on

El camión de los bandidos espera el despegue del avión que sigue avanzando lentamente. Los motores rugen. Una nube de polvo y una lluvia de piedras caen sobre la pista de aterrizaje. Los bandidos se retiran un poco más mientras la nube de polvo lo envuelve todo detrás del avión.

El avión sigue avanzando lentamente hacia Luis Largaespera quien ha caminado lo más cerca posible al extremo de la pista. Sigue avanzando, los motores rugen con fuerza ensordecedora. Los árboles pequeños se doblan con el viento de los motores y el monte de los lados se separa como las aguas del Mar Rojo. . . . El aparato disminuye considerablemente la velocidad al llegar al extremo de la pista. La llanta izquierda deja de rodar,° mientras la otra continúa avanzando en semicírculo. El avión comienza a virar, con los motores a toda marcha, vibrando y haciendo temblar la tierra.

rodar revolving

En ese momento crítico cuando el motor derecho del avión está a unos seis metros sobre su cabeza, Luis tira la piedra con toda su fuerza. Se estrella° contra la hélice° haciéndola explotar en mil pedazos con un ruido ensordecedor. Luis se lanza al suelo. Después sale corriendo hacia lo más elevado de la maleza — lejos del avión. El piloto corta en vilo° los motores. Gradualmente la nube de polvo cae a tierra. Transcurren unos segundos de silencio y expectación. Se abre una portezuela del avión y saltan algunos soldados.

se estrella hits
hélice propeller

corta en vilo immediately shuts off

El camión sigue parado al otro extremo de la pista. Salta un soldado de la parte trasera del camión. Se asoma por la ventana de la cabina para avisarle a Jesús que se acerque el camión al avión. Y ve a Jesús y Santos doblados sobre el asiento como muertos. El cuerpo del uno está inclinado sobre el del otro, y la cabeza del uno descansa en la del otro hacia el centro del asiento. Verdaderamente, dan la impresión de estar muertos . . . pero al agudizar° los oídos, el soldado que está a la ventanilla escucha un sonido familiar que sale de la boca del más panzón:° "Z-Z-Z-Z-Z." Se despiertan bruscamente cuando el soldado les sacude el hombro. Tardan unos segundos en orientarse y Jesús comenta:

agudizar to strain

panzón pot-bellied person

—¡Gracias a Dios que ya se fue el avión!

La nube de polvo le impedía ver lo que ocurría al otro extremo de la pista.

—¡Ay! ¿No ves lo que hay adelante?— grita el guardia desde la ventanilla del camión. —Vamos a ver lo que sucede en el avión. El camión se pone en marcha. Junto al avión están todos los soldados que se han salido para ver qué pasa. Creen que una piedra de la pista saltó con el viento y le ha pegado a la hélice del avión. Hay una enorme confusión, pánico, bullicio, en medio de una guerra de nervios.

Mientras tanto María-Luisa, al volante del Jaguar, ha llegado a la gasolinera en el desvío de la carretera a Panajachel. Ha regresado en busca de auxilio para salvar a Luis de un peligro inminente. Habla por teléfono con el Comandante de la Guardia Nacional de Panajachel. Le explica lo que está pasando. Solicita ayuda inmediata para salvar al país de las manos de los revolucionarios. Un camión lleno de guardias sale inmediatamente hacia la hacienda del Capitán. María-Luisa los espera junto a la carretera para darles las señas exactas del campo de aterrizaje.

Luis ha corrido hasta la carretera donde estaban el Jaguar y la chica, pero no los encuentra. Continúa sobre la misma carretera. En el camino se encuentra con María-Luisa en el Jaguar y con el camión con los soldados. Se paran para recoger a Luis. El Comandante se aprovecha de la oportunidad para darles instrucciones a los guardias:

—Antes de llegar a la pista de aterrizaje hay que bajarse del camión— les dice. —Vamos a rodear° el avión para impedir el escape de los bandidos. No disparen° hasta que ellos lo hagan.

rodear   to surround

disparen   shoot

El camión continúa la marcha y Luis les dice que se paren. Están en el mismo lugar donde habían escondido el Jaguar. Los soldados se dispersan por tierra en todas direcciones para rodear a los revolucionarios. Cuando ya están en posición, el Comandante dice por el altavoz:°

altavoz   loudspeaker

—Atención. Atención. Este es un arresto. Están rodeados por la Guardia Nacional armada con bombas y granadas. Ríndanse° sin oponer resistencia. Si se entregan,° saldrán con vida. De lo contrario, en 20 segundos les lanzaremos la primera bomba. Marchen en fila india.° Tiren las armas al suelo. Caminen con las manos sobre la cabeza.

ríndanse   surrender

se entregan   give up

fila india   single file

En menos de diez segundos Jesús y Santos caminan sobre el centro de la pista sin armas y con las manos en alto. Detrás de ellos van unos cincuenta hombres, todos con las manos en alto y desarmados.

Muy satisfecho el Comandante se voltea hacia la pareja y les da la mano diciendo:

—Ustedes han hecho algo heroico. Merecen° una condecoración. Cuando lleguemos a la capital le hablaré sobre esto al Jefe de la Guardia Nacional.

merecen   deserve

—Gracias— contestan ambos a la vez.

—Pero todavía no se ha terminado el asunto— añade ella. —Todavía queda por lo menos un hombre en la capital. Es el Comandante del aeropuerto. El está encargado de dirigir las tropas de tierra. Además— continúa la chica —tenemos que recuperar el ídolo de los indios de Atitlán.

—¡Caramba!— contesta el Comandante de Panajachel. —Ustedes saben más sobre este asunto que la policía misma. ¡Vamos! No dejemos que el Comandante se escape. Luis y usted tendrán que ir a la

capital en el Jaguar a dar aviso a la Jefatura de Policía. La comunicación telefónica con la capital ha
quedado interrumpida por las lluvias.

—Si llegamos a la Jefatura de Policía con las manos
vacías, sólo con el cuento de que hemos capturado
a unos guerrilleros en el acto de atacar "la Presidencial" y que hay todavía varios hombres que no hemos
capturado, ésos se van a reír de nosotros. Van a creer
que estamos alucinando. . . .

—Entonces te daré una nota con mi firma para el
Jefe de la Jefatura . . . y uno de mis soldados.

—Espero que su firma sea tan conocida como la
del Presidente del Banco Central— dice Luis más en
serio que en broma.

Toma la nota del Comandante. Sale con la chica
y un guardia hacia la capital de Guatemala. En el
camino María-Luisa pregunta:

—Y Luis Alcatraz, ¿dónde estará?

—No sé— contesta Luis. —La última vez que lo
vimos fue en El Salvador.

—Cierto— dice la chica. —Pero no va a quedarse
en El Salvador. No quiere ver el triunfo de su revolución por televisión en la sala de su casa. Segura-
mente don Luis Alcatraz y el Capitán ya están en
Guatemala preparando el discurso° presidencial.

discurso speech

—Bien podrían estar en el aeropuerto para la llegada. . . .

—Sí— contesta ella. —Es posible que el avión sea
para ellos y que los soldados iban a servirles de
guardaespaldas.°

guardaespaldas body-
guards

El Jaguar avanza a gran velocidad sobre la carretera a la capital. En un tiempo cortísimo han llegado
a Antigua. Avanzan un poco más despacio para
aproximarse a los primeros barrios de la ciudad.

—Ojalá que no nos encontremos con el mismo
militar antipático con que nos encontramos la primera vez que fuimos a esa Jefatura a informarles del
plan de los bandidos.

—Simplemente vamos a la otra oficina— dice Luis.

Entran a la Jefatura de Policía. Hablan con un

coronel que los atiende amigablemente. Luis le da
la nota del Comandante de Panajachel. La lee cuidadosamente. Reflexiona por unos segundos y llama a
uno de los guardias.

—Dile al cabo° Solís que tenga preparada un auto   cabo corporal
radio-patrulla inmediatamente y que venga él con-
migo. Traiga dos ametralladoras, una pistola extra y
un par de "granujas."*

El Coronel le entrega la pistola a Luis. Le indica
que lo siga. Sube al auto radio-patrulla armado hasta
los dientes° y parte rumbo al aeropuerto pidiendo vía   **hasta los dientes**
libre con la sirena.   **to the hilt**

Llegan al aeropuerto y sin perder tiempo caminan
a la oficina del Comandante. Abren la puerta de un
empujón. Sorprenden al Comandante asomándose a
la ventana. Al ver la ametralladora que lo está
apuntando, el Comandante se queda inmóvil. La
cara gradualmente se le va poniendo pálida.

—¡Manos arriba!— le grita el Coronel. —Queda
usted arrestado.

El cabo Solís le quita la pistola del cinto al Comandante. Le pone en las muñecas un reluciente par
de esposas mientras le dice burlonamente: —¡Feliz
Luna de Miel, mi Coronel!—** El Coronel le echa
una mirada de plomo° a la vez que tuerce la boca   plomo lead
y cierra el puño para suprimir la furia.

En ese momento se abre la puerta violentamente.
Y Luis Alcatraz, el Agregado Cultural de la Embajada, conocido como El Capitán y Luis Largaespera
se encuentran cara a cara. Este último lleva la mano
al cinto y saca la pistola rápidamente. Apunta con
ella a los dos bandidos quienes, como impulsados
por un resorte, levantan las manos arriba de la cabeza. Ambos tiemblan del miedo.

Por ese entonces la noticia de la sensacional captura de la banda de revolucionarios se ha extendido
por toda la capital guatemalteca. El Comandante de

*Slang for granada. (Lit. "rascal").
**A pun based on the other meaning of the word "esposa"
—wife.

Panajachel acaba de llegar a la Jefatura de Policía con dos camiones llenos de guardias y los soldados recién capturados.

Un grupo de periodistas les sacan fotos y le hacen preguntas incesantes al Comandante de Panajachel. Este menciona que ya han capturado al resto de los bandidos en el aeropuerto. Al oír esto los periodistas saltan en sus coches hacia el Aeropuerto Aurora de Guatemala. La gente se sale a las calles donde circulan las noticias y rumores a granel,° como chicha de Semana Santa. Y en medio del desconcierto no se sabe a cabalidad° cuál ha sido el epílogo de este episodio novelesco que ha resultado en la captura de tantos revolucionarios.

Los últimos tres hombres capturados en el aeropuerto están allí a la vista del público. Luis, María-Luisa y el Comandante de la Jefatura de Policía de la capital están rodeados de periodistas y curiosos. Después de contestar algunas preguntas de los sorprendidos periodistas, el Comandante toma el micrófono. Aclara la voz y dice:

—Nosotros los militares estamos cosechando° el triunfo de este joven estudiante de medicina de la Universidad de San Carlos de Borromeo, que. . . .

—¡Yeee!— exclama María-Luisa, sin poder contenerse de la emoción. Le da un abrazo y dice —¿cómo no me habías dicho antes que estás siguiendo la misma profesión de tu padre? ¡Y yo que te creía un vago° incorregible. . . !

Luis le contesta con una sonrisa.

—que— continúa el Comandante —con esta bella jovencita que ven a su lado, ha frustrado los planes siniestros de un grupo de revolucionarios que pretendían tomar el poder. En una mano a mano espectacular, Luis Largaespera ha logrado detener el avión que llevaría las tropas revolucionarias a la capital. . . . Y según ha dicho esta valiente jovencita, el ídolo y el catecismo de los indios que han desaparecido, están en manos de estos granujas° que los

<table>
<tr><td>a granel</td><td>in abundance</td></tr>
<tr><td>a cabalidad</td><td>totally</td></tr>
<tr><td>cosechando</td><td>reaping</td></tr>
<tr><td>vago</td><td>loafer</td></tr>
<tr><td>granujas</td><td>thieves</td></tr>
</table>

tendrán que devolver intactos.

Los periodistas, pasajeros, curiosos y todo el mundo unánimemente se suelta en aplauso bajo una lluvia de destellos° de bombillos y el regocijo general de todos. . . .

destellos flashes

FIN

1. ¿Cómo quiere Luis impedir el despegue del avión?
2. ¿Adónde va María-Luisa en el Jaguar?
3. ¿Qué sucede cuando Luis tira la roca?
4. ¿A quién habla María-Luisa por teléfono? ¿Por qué?
5. ¿Por qué dispersan los soldados de la Guardia?
6. ¿Capturan a todos los revolucionarios?
7. ¿Por qué tienen que regresar Luis y María-Luisa a la capital?
8. ¿Con quién se encuentra Luis cara a cara?
9. ¿Qué aprende María-Luisa al oír el discurso del Comandante?
10. ¿Qué va a pasar al ídolo y al catecismo que han sido robados de los indios?

VOCABULARY

The Master Spanish-English Vocabulary presented here represents the vocabulary as it is used in the context of this book.

The nouns are given in their singular form followed by their definite article only if they do not follow the usual gender rule. Adjectives are presented in their masculine singular form followed by **-a**. The verbs are given in their infinitive form followed by the reflexive pronoun **-se** if it is required, by the stem-change (**ie**), (**ue**), (**i**), by (**IR**) to indicate an irregular verb and by the preposition which follows the infinitive.

A

abertura   opening
abrazar   to embrace, hug
aburrirse (de)   to tire, be bored (of)
acabar de   to have just
aceite, el   oil
acercarse (a)   to come near (to), approach
acomodarse   to get comfortable
acordarse de (ue)   to remember
acostarse (ue)   to go to bed
acostumbrarse a   to be accustomed to, used to
adelantar   to go ahead, forward
aduana   customhouse
aeromoza   stewardess
afueras, las   outskirts
agarrar   to seize, grab
agitar   to move, agitate
agruparse   to crowd together
ajustarse (a)   to adjust (to)
alborotarse   to disturb, get excited
alcanzar   to go up
alegrarse (de)   to cheer up, be glad
alejarse (de)   to go away, withdraw (from)
algodón, el   cotton
aliento   breath
alivio   relief
almacén, el   department store
almorzar (ue)   to eat lunch
alquilar   to rent, hire

alquiler, el   rent
altavoz, el   loudspeaker
altura   height
amable   kind, nice
amanecer   to dawn
ametralladora   machine gun
amontonar   to gather
ancho, -a   wide
anotar   to note
añadir   to add
apagar   to put out, extinguish
apenas   barely
apretar (ie)   to press down
aprovecharse de   to take advantage of
apuntar   to point
arbusto   bush
arena   sand
armar   to arm
arrancar   to pull out
asar   to roast
asomarse (a)   to look out (of)
áspero, -a   rough, rugged
asunto   matter
asustar   to scare, frighten
atar   to tie
ataúd, el   coffin
aterrizaje, el   landing
aterrizar   to land
atraso   delay
aumentar   to increase
autopista   highway
avanzar   to advance
avisar   to advise, warn

B

bajar (de)   to go down, get off (of)
bandeja   tray
barato, -a   cheap
barba   beard
barrer   to sweep
barro   clay, mud
batir   to beat
bigote, el   moustache
bloquear   to block
bocina   horn
boleto   ticket
bolsillo   pocket
borracho, -a   drunk
brillar   to shine
brocha   brush
bromear   to joke
bulto   bundle
bulla   noise, bustle
bullicio   noise, bustle
burlarse (de)   to make fun (of)
en busca de   in search of

C

caerse (IR)   to fall down
caja   box
calentar (ie)   to warm up
callarse   to be quiet
camino   path, road
camión, el   truck, bus
campo   field
cara   face
cárcel, la   jail
carrera   race
carretera   highway
carril, el   lane
cartero   mailman
cebolla   onion
cenar   to dine, eat dinner
cerro   hill
cerveza   beer
cinta   tape
cinto   belt
cocinar   to cook
cohete, el   rocket
contar (ue)   to tell, say
contrario   opposite
copa   glass
corretear   to ramble
costar (ue)   to cost
crecer   to grow
cuadra   block
cuenta   bill, check
cuero   leather

cuerpo   body
cuidado   care
culpa   blame, fault
cumbre, la   top
cumplir   to fulfill

CH

chupar   to inhale

D

dar de comer (IR)   to feed
dar paso (IR)   to make way
darse cuenta de (IR)   to realize
dar una vuelta (IR)   to make a turn
dedo   finger
dejar   to stop, allow
delantal, el   apron
demás, los, las   rest
dependiente, el   clerk, employee
derecho, -a   right
desatar   to untie
desayunarse   to eat breakfast
descansado, -a   rested
desmayarse   to faint
despedirse (i) (de)   to say goodbye (to)
despegar   to take off
despertarse (ie)   to wake up
desvío   detour
detalle, el   detail
detenerse (ie) (IR)   to stop
dirección, la   address
dirigirse a   to go towards
disculparse   to forgive
disparar   to shoot
disparo   shot
doblarse   to turn
dueña   owner
dueño   owner

E

echar a perder   to spoil, ruin
echar humo   to blow smoke
empujar   to push
empujón, el   push
encargarse (de)   to be in charge (of)
encender (ie)   to light, turn on
encontrarse con (ue)   to meet
endrogar   to drug
enfermarse   to get sick
enfurecerse   to get furious
enlace, el   link
enojarse   to get angry

ensordecedor, -a deafening
enterarse de to be informed, find out about
entrada entrance
entrado en años on in years
entregar to deliver
entre manos in hand
entretener (ie) (IR) to entertain, have a good time
enviar to send
equipaje, el baggage, luggage
equivocarse to mistake
escalera stair
escolar scholastic
esconder to hide
esfuerzo effort
espalda back
esposas handcuffs
esquina corner
estadía stay
estar de acuerdo (con) (IR) to agree (with)
estar de pie (IR) to stand
estar listo, -a (IR) to be ready
estrecho, -a narrow
estuche, el case
evitarse to avoid

F

falda slope
faltar to lack, need
fijarse en to notice
fingir to fake, pretend
firma signature
fonda inn, restaurant
fondo bottom, end
forcejear to struggle
fósforo match
frente, la forehead
frente a in front of, facing
frontera border
fuego fire
fuera de out of

G

gota drop
grada step
grandote big, huge
gritar to shout
grueso, -a thick

H

hacer las veces (IR) to act as
harina flour

hazaña deed, accomplishment
hélice, la propeller
hierba grass
hoja leaf
hombro shoulder
hospedaje, el lodging
hospedarse to stay, lodge
hoyo hole
huésped, el guest
huir (IR) to flee
hule, el india-rubber
humo smoke

I

impedir (i) to stop, impede
impuesto tax

L

ladera slope
ladrillo brick
lamer to touch slightly
lanzar to throw
lento, -a slow
letrero sign
levantarse to get up
lograr to manage, succeed
lugar, el place

LL

llama flame
llanta tire
llave, la key
llegada arrival
llegar a ser to become
llevar to take, carry
llover (ue) to rain
lluvia rain

M

maduro, -a ripe
maldecir (IR) to swear
maletín, el suitcase
maleza weeds
manejar to drive
manta blanket
mantener (ie) (IR) to maintain
manzana block
marcar to dial
mata plant, shrub
por medio de by means of
mentir (ie) (i) to lie

70

merecer   to deserve
mesero   waiter
meter   to impose, urge
metralleta   small machine gun
mitad, la   half
a modo de   in a similar way
mojarse   to moisten, get wet
muñeca   wrist

N

neblina   mist, drizzle
ni siquiera   not even
nube, la   cloud
nublado, -a   cloudy
de nuevo   again

O

oculto, -a   hidden
oído   ear
ola   wave
olvidarse (de)   to forget (about)
orgullo   pride
oscuridad, la   darkness
oscuro, -a   dark

P

padecer (de)   to suffer (from)
pañuelo   handkerchief
par, el   pair
parada   stop
parar   to stop
parecer   to seem like, resemble
pared, la   wall
pareja   pair, couple
pasajero   passenger
pasearse   to take a walk
paseo   walk, stroll
paso   step, way
pecho   chest
pedir prestado (i)   to borrow
pegar   to hit
peine, el   comb
peldaño   step
peligro   danger
pensión, la   boardinghouse
perder tiempo (ie)   to waste, lose time
pesado, -a   heavy
pesar   to weigh
a pesar de   in spite of
piedra   rock, stone
pieza   room
pisada   footprint

pisar   to step
piso   floor
pista   strip
planear   to plan, intend
playa   beach
poder, el   power
polvo   dust
polvoso, -a   dusty
ponerse a (IR)   to become, begin
por fin   finally
posar   to pose
precipicio   precipice, chasm
prender fuego   to set fire
preocuparse (por)   to worry (about)
prestar atención   to pay attention
de prisa   in a hurry
provenir (ie) (IR)   to come from
puerco   pig
pulgada   inch

Q

quebrar (ie)   to break
quedarse   to remain, stay
quemar   to burn
queso   cheese
quitar   to take away

R

rama   branch
recoger   to pick up, gather
recordarse (ue)   to remember
recto, -a   straight
regresar   to return
reírse (de) (IR)   to laugh (at)
resbalar   to slip
respirar   to breathe
retirarse   to go back
reunión, la   meeting
revista   magazine
rincón, el   corner
rodar (ue)   to roll
rodear   to surround
rótulo   sign
rugir   to roar
ruido   noise
rumbo a   headed to

S

sacudir   to shake
saltar   to jump
saludar   to greet
secuestrar   to kidnap

seguro insurance
sembrar (ie) to plant
sentirse (ie) (i) to feel
señalar to signal
sin embargo nevertheless
soltarse (ue) to break out, burst out
en son de like, as
sonreír (IR) to smile
sonrisa smile
sonrojarse to blush
sorber to sip
sorprender to surprise
sorpresa surprise
sospechar to suspect
sostener (ie) (IR) to keep, sustain
sotana cassock
subir to go up, get on
suceder to happen
suelo ground, floor
sugerir (ie) (i) to suggest
suspirar to breathe

T

tardarse to be late
techo roof
tejer to weave
tela cloth
temblar (ie) to shake, tremble
temporada season, period
temporal, el rainy spell

tener ánimos de (ie) (IR) to feel like
terreno land
timidez, la shyness
tirar to throw
tirarse to throw oneself, turn
tocar el timbre to ring the doorbell
tomar fotos to photograph
tonto, -a silly, stupid
torcer (ue) to twist
toser to cough
trago gulp, sip
trasero, -a back, rear
trozo bit, piece

V

vacío, -a empty
venta sale
ventaja advantage
verja window grating
vestirse (i) to dress
a la vez at the same time
vidrio glass
viento wind
vigilar to watch
virar to veer
visera visor
al volante behind the wheel
volar (ue) to fly
voltear to turn
volver a (ue) to do again

NTC SPANISH PAPERBACKS

Literary Adaptations

Tres novelas latinoamericanas, ed. Tardy	7302-3
Tres novelas españolas, ed. Tardy	7301-5
Dos novelas picarescas, ed. Tardy	7303-1
Don Quijote de la Mancha, ed. Tardy	7072-5
Nuestras mujeres, ed. Zelson	7057-1

Short Stories

Joyas de lectura	7320-1
Cuentos de hoy, ed. González	7009-1
Cuentos puertorriqueños, eds. Muckley and Vargas	7043-1

Literature

Literatura moderna hispánica, ed. González	7029-6
Teatro hispánico, eds. Jackson and Guillermo	7551-4

Plays and Skits

Diálogos contemporáneos, ed. Concheff	7588-3
Cinco comedias, Thompson	7548-4
Siete piezas fáciles, Roach	7550-6
Panamericana	7052-0

Journeys to Adventure Series

El Jaguar curioso, Navas Rivas	7004-0
La momia desaparece, de Rosa	7055-5
Un verano misterioso, Mohrman	7007-5
La herencia, de Escobar	7046-6

Graded Readers

Cuentitos simpáticos, Pfeiffer	7048-2
Cuentos simpáticos, Pfeiffer	7049-0

Cultural Readers

Leyendas latinoamericanas, Barlow	7390-2
Leyendas mexicanas, Barlow and Stivers	7387-2
Cartas de España, ed. Concheff	7042-3

Puzzles and Games

Crucigramas para estudiantes, Burnett	7230-2
Rompecabezas para estudiantes, Padilla and Taylor	7130-6
Merry-Go-Round of Games in Spanish, Vogan	7557-3

Songs and Dances

Regional Dances of Mexico, Johnston	7503-4
Canciones de Navidad, Ramboz	7097-0

Miscellaneous

Manual de correspondencia española, Jackson	7033-4
Basic Spanish Conversation, Tardy	7050-4

NTC *NATIONAL TEXTBOOK COMPANY* • *Skokie, Illinois 60076*